身体は、なんでも知っている

なぜ体調が悪いのか？ どうすれば治るのか？

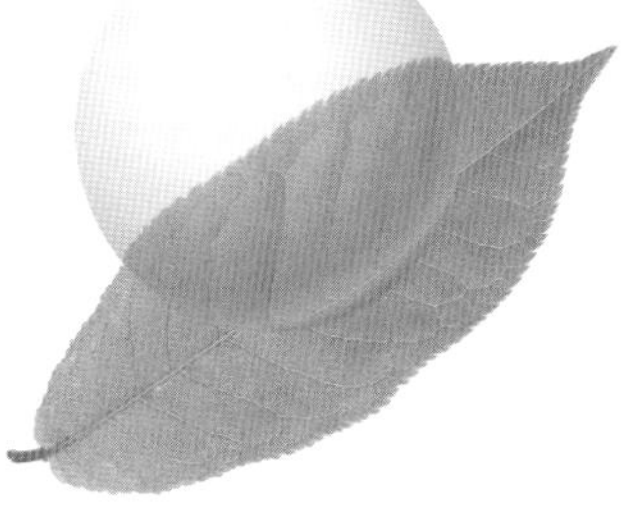

医学博士
堀田忠弘
Hotta Tadahiro

かんき出版

人間、そう簡単に死ぬものではない――はじめに

かつての私は、科学的根拠にもとづいた西洋医学を究めることが病気を治すもっとも有力な手段であり、病気が治らないのは、医学的知識が不足しているからだと考えていました。そのため、ひたすら医学的知識を追い求めたものです。

ところが、医者として経験を積むにつれて、西洋医学がもついくつかの問題点にぶつかり、限界を感じるようになっていったのです。たとえば――。

――多くの病気は原因がわからず、対症療法になっている。
――慢性病には薬以外に有効な手段がなく、長期間薬を飲みつづけなければならない。
――検査をしても原因がみつかるとはかぎらない。
――免疫力を高めたり、病気を未然に防いだりする治療法に乏しい。

――薬の副作用を未然に防げない。

――保険診療のなかでは、保険で認められた治療以外に自由に治療法を選択することができない。

――科学的ではないものについては受け入れる素地がない、などなど。


さらに、私が西洋医学に限界を感じた背景に、次のような二つの症例がありました。

一例目は、小さいお子さんが二人いる三十代後半の女性です。外見はとても元気そうでしたが、胃ガンのなかでもスキルスと呼ばれる悪性度の高いガンに冒され、すでに転移も疑われていました。そのため、内科に入院して抗ガン剤で治療をすることになったのです。ところが、治療を始めてまもなく、体調がどんどん悪化し、二カ月で亡くなってしまいました。

「もし入院していなかったら、彼女はもっと長く生きられたのではないか」と思えるほど、あっけない死でした。「ガンだからしかたがない」と、だれしも思ったかもしれません。が、私にはなにか釈然としないものが残ったのです。

二例目は、肝硬変に肝ガンを併発し、地方の病院で塞栓療法を受けていた六十代後半の男性です。塞栓療法とは、ガンに酸素や栄養を送る肝動脈にスポンジ状の物質を詰めて血流を止め、ガン細胞を壊死させる方法です。効果は期待できるものの、処置後数時間は絶対安静にしなければならず、痛みや発熱もともないます。

この男性は病名を知らされていなかったこともあって、発熱と痛みに耐えかねて、「もう病院はいやだ」といっていたようです。それで、どうしたものかと迷った家族が私のもとに相談にみえたのです。

私は前述のようなケースを経験していたこともあり、退院したほうがいいと判断し、免疫力を高める漢方薬を飲みながら自宅療養をするようにとすすめました。

すると、余命三カ月と宣告され、手の打ちようがないといわれていたこの男性は、それから四年半も生きることができたのです。しかも、家族の目を盗んではときどきお酒を飲んだり、釣りを楽しんだり、体調のよいときは野良仕事にも出かけていたようです。身体がすこしだるいと訴える以外に苦痛らしいものはなく、比較的平穏に日々を過ごすことができたのです。

この経験から、私は、人間のもつ生命力の神秘さ、強さを教えられたのでした。人間は自然のままにしていれば、そう簡単に死ぬものではないということ、そして**治療の基**

本は、苦痛のない方法で、自然治癒力を最大限に引き出すことにある、という思いを強くしたのです。

病気になる原因には、物理的な要因と心の問題があります。物理的な要因は、それが何かわかれば比較的改善しやすいのですが、心の問題は、わかっていてもなかなか思いどおりにはいきません。

* * *

第1章では、心と病について、心を平穏に保ち、ストレスを極力受けないようにするにはどうすればいいのかを考えてみました。

第2章では、「知らなかった」「うっかりしていた」「まさかそんなことが悪いとは思わなかった」といった健康についての数々の盲点を知っていただきたいと思います。

病気は、食生活の乱れ、体内汚染、環境因子、生活習慣などのなかでいくつかの不自然なことが重なり、継続されてきた結果です。健康に暮らしていると思っていたのに、気がついたら病気になっていた——というようなことにならないように、健康についてのしっかりした基本知識が必要です。

第3章では、身体を汚染から守るために、もっともよく口にする米と野菜について、どう対処したらいいか、健康にいい水とは何かについて知り、実行していただきたいことが書いてあります。冒頭でも述べたように、私は西洋医学に限界は感じていますが、否定するつもりはありません。西洋医学には効果的な治療法もたくさんあり、多くの恩恵をもたらしていることは事実だからです。

ただ、**患者さん一人ひとりの〝身体の声〟に耳を傾けることをしないで、表に出た症状を抑える治療法に偏っていることに疑問と限界を感じざるをえません。表に出てきた症状は同じでも、そこにいたるプロセスは千差万別です。病気や体調不良には必ず原因があります。原因があって結果があるのですから、その原因さえ取り除けば、本来備わっている自然治癒力によって治るのです。**

原因を探すのに役立つのが、私が実施している「SMRテスト（魂・筋・応答反射テスト）」です。すでに延べ一〇万人以上の患者さんの診断補助に使ってきましたが、そのつど得られた答えの正確さに圧倒されました。これについては、プロローグと第4章でくわしく説明しています。

治療の面では、多くの方がたの興味が、身体に優しい医療、自然治癒力といったものにシフトしつつあるようです。いわゆる「代替医療」といわれているもので、自然の恩恵である、花、ハーブ、生薬、宝石、あるいは音や特定の周波数を利用したものなどが中心になっています。

そこで、第5章では、私がこれまで七〇〇人近い人に実施し、大きな成果をあげている宝石を使った療法を紹介しています。宝石を装飾にのみ使うのはあまりにももったいなさすぎるというのが、私の正直な気持ちです。宝石を使った、副作用のない療法のすばらしさをぜひ知っていただきたいと思います。

健康を維持していくには、健康についての知識を身につけるとともに、自分らしく生きることが大切だと思います。どうすれば自分らしい生き方ができるのか、私の体験をもとに、エピローグに書き記しています。

本書によって一人でも多くの方が真の健康をとりもどし、自分らしい生き方をみつけていただければ、このうえない喜びです。

二〇〇七年三月

堀田忠弘

目次

身体《からだ》はなんでも知っている

はじめに――人間、そう簡単に死ぬものではない

プロローグ

身体《からだ》はなんでも応えてくれる

第1章 病気は「心の不調」が原因だった！

第2章 意外なところにある健康の盲点

第3章 食と水を変えれば身体はよくなる

第4章 SMRテストの正しい使い方

第5章 大自然のパワーが病気を癒す

エピローグ

自分らしい生き方へのヒント

装幀――重原　隆
編集協力――月岡廣吉郎

プロローグ

身体《からだ》はなんでも応えてくれる

◉――人間のもつ意識の力は無限大

――人は、自分では認識していなくても、自分に関することはすべて承知している。何が原因で病気になったのか、どうすれば治るのか。さらに、自分のこと以外でも、基本的に必要なことはなんでも知ることができる、人間とはそういうものなのだ

これは、私が医師として診療に携わるようになって以来三十年以上のあいだ、日々患者さんに接するなかで、「簡単に、早く、確実に治す方法」はないかと追い求めつづけてきた結果得られた結論です。

人間の潜在能力に興味をもっていた私は、意識と医学のかかわりについて研究し、次

のように考えるようにもなりました。

「人間のもつ意識の力は無限大であり、これを使わないのは、それこそ宝の持ち腐れではないか」

人間は肉体以外に、目にみえない心と魂をもった存在です。その肉体、心、魂が一体となったものを、本書では「身体《からだ》」と表わしています。そのバランスが取れているとき、大きな力が発揮されるのです。その一つとして、次のような反応があります。

「人間の筋肉は、自分の身体に有益な食べ物や日用品、聞いてうれしくなるような言葉に接すると力が強くなり、その逆では弱くなる」

それればかりか、

「知りたいことを問いかけると、それが真実であるか、あるいは正しければ強くなり、その逆では弱くなる」

というものです。

身体に有益であるか有害であるかを見分けるのは、動物的本能ともいえるものですが、問いかけに対して的確に反応することから、人間には物事の真偽や正誤を正しく判断する能力がもともと備わっているといってもいいでしょう。

問いかけに対して的確に反応するのは、肉体で処理できるものは肉体が、心の領域に関するものは心が、魂の介在を要するものは魂が反応して、人間の総合的な能力として合理的に応答しているからだ、と私は考えています。

問いかけに応答するのは、肉体、心、魂ですから、正確を期するには、問いかける対象も肉体だけではなく、心と魂を含めたトータルの人間であることを認識しておくことが大切です。その意味において、私はこの能力を応用した方法を「魂・筋《きん》・応答反射テスト（Spirit Muscle Responsive Test＝SMRテスト）」と命名して使っています。

使い方によっていろいろな分野に応用できますが、私は病気の診断と治療に利用しています。長いあいだわからなかった病気の原因がわかったり、病気を通じて大切なことに気づいたりすることで、長年の苦しみから解放された方も数多くいます。こんなすばらしい能力を活用しないのは、もったいないと思いませんか。

ただ、当初は、

「そんな単純なことで、本人も知らないようなことがほんとうにわかるのだろうか」

と何度も自問自答したものです。

現在でもときどき疑っては、あえて反証をあげることを試みますが、そのつど得られた答えの正確さに圧倒され、「やっぱりそうなのだ」と、同じ数だけ納得させられます。答えが正しいかどうかは、結果がいいかどうかによって決まります。

ＳＭＲテストを使うことのメリットには、

- 病気の原因をより深く知ることができる
- 患者さんとのコミュニケーションがよくなる
- 内面からの気づきがうながされる

などがあります。

それまで気がつかなかったことが明らかになるにつれ、真実を知る喜びが湧いてきます。あきらめていたことの解決法がみつかり、不安や疑問といった心の重荷から解放されるからです。

原因がわかると治りが早い

では、ＳＭＲテストを使うことで、はじめて診断がついて治った実例を紹介しましょう。

神奈川県の高校に通う十五歳の女子高校生が、七カ月ほど前から両足がむずがゆくなり、なんともいえない不快感に苦しめられていました。かゆみはやがて痛みをともなうようになり、背中や胸、両手にも広がり、学校にいくのも困難になっていました。かゆみと痛みのせいで疲れやすく、集中力が途切れ、三十分と椅子に座っていられないこともあり、お母さんが車で学校に連れていっても、すぐに連れて帰らなければならないこともあったそうです。

大学病院をはじめ、あちこちの病院で診察を受けたものの、どこでも「異常なし」「原因不明」と首を傾げられるばかりでした。「精神的なものではないか」といわれたこともあったそうです。

この女子高校生は、「自分の病気は精神的なものではない」と確信していたものの、原因がわからないといわれるのがたまらなかったようです。もっと悪くなれば原因をみつけてもらえるかもしれないと思い、いっさいの治療を拒否して寝込んでいたそうです。

困り果てた家族が、私のところに連絡してきました。数日後、来院した彼女にＳＭＲテストを実施しました。テストの方法については第4章でくわしく述べますが、簡単に説明しておきましょう。

まず、彼女の左手の親指と人差し指で輪をつくってもらい、右手で自分の体のあちこちに触ってもらいます。私も、両手の人差し指と親指で輪をつくり、患者さんの輪のなかに入れて、水平に引っぱります。すると、指が簡単に開くところと、まったく開かないところがあることがわかります。

怪訝《けげん》そうな顔をする彼女に、

「指が開くところは異常があるところで、開かないところは正常です。指が開くところが、あなたが痛いと感じるところではないですか」

というと、

「そうなんです。どうして悪いところがわかるんですか」

と彼女の顔に安堵《あんど》の表情が生まれたのです。

それまで「異常なし」といわれつづけた彼女は、精神的なものではなかったことがわかっただけでホッとしたのでしょう。

指が開くところをくわしく調べたところ、ある種のウイルスや細菌による感染が示唆《しさ》されたのです。しかも、それはいたるところにおよんでいたのです。

では、なぜ、このような感染が起こったのでしょうか。原因をはっきりさせて、それを除かないかぎり、完治は望めません。ウイルスの感染が全身におよんでいたことから、免疫力が相当低下していること、ウイルスが含まれているものをよく摂取している可能性があることが考えられます。

そこで、ウイルスの侵入ルートをはっきりさせるために、考えられる食品についてSMRテストで質問をするなかで「乳製品ですか」と問いかけたところ、「イエス」の反応(指の力がしっかり入った状態)が出ました。乳製品以外については、「ノー」の反応です。

本人に直接たずねてみると、周りの人から、「体力がないなら牛乳をもっと飲んだほうがいい」とすすめられ、毎日、それまで以上に牛乳を飲んでいたことを話してくれました。

免疫力が低下した原因は、おもに精神的なものでした。一言でいえば、いい子を演じるのに疲れてしまったのです。自分が思っていることと実際の行動のギャップに悩み、精神的に疲れていたうえに、「異常がない」といわれたことで、いらだちと不安が募り、いっそう状態を悪くしていたのです。

彼女は、自分の病気の原因がわかったこと、また治るという確信がもてたことで気分

的にかなり楽になったようです。翌日には、

「ウソみたいに元気になった」

と、母親が知人に語っていたそうです。

そして、乳製品はいっさいやめて、抗ウイルス作用をもつ食品（ＥＰＡ・ＤＨＡ）をとるようにしたところ、二〜三カ月後にはすっかり元気を回復したのです。

直観力へのパイプを太くする

ＳＭＲテストは、肉体、心、魂のバランスがとれた状態にあってはじめて、問いかけに対し正確な情報が得られます。バランスをとる方法は後述しますが、バランスがとれている状態にあると、直観力が高まります。直観力は魂からの情報ですから、ふだんからＳＭＲテストを使っていると、おのずと直観力へのパイプが太くなるという、うれしい変化も起こります。

直観力はだれにでもあるものですが、ふだんはあまり使われていないのが現状だと思

いますので、このことについて、すこし話を進めましょう。

「野生の動物には、地震などの天災を事前に察知する能力がある」といわれます。事実、二〇〇四年十二月二十六日に起きたインドネシア・スマトラ島沖地震がそのことを如実に物語っています。

地震に襲われたタイ南部のリゾート地、カオラックでは、波がいつもと変わらず穏やかなときに、浜辺にいた観光用の八頭の象が突然、激しい叫び声をあげ、観光客を乗せたまま、一目散《いちもくさん》に丘のほうへ逃げ出したそうです。

ほかの檻《おり》で待機していた象たちも同じでした。〝火事場の馬鹿力〟といいますか、とうてい外すことはできないはずの頑丈な鎖を引きちぎって、八頭の象を追うように逃走したのです。こんな異常な行動に走る象をみて、リゾート地でのんびりとくつろいでいた人も胸騒ぎを覚えたのでしょう。象にならって浜辺から立ち退いたおかげで難を逃れたといいます。

私たち人間にも、不測の事態に、それを予知する能力、いわゆる第六感が働くようになっています。たとえば、出発直前になんとなく胸騒ぎがして、旅行をとりやめたために危うく難を逃れたというようなケースです。逆に、おかしいと感じながら、その感覚を無視したために、とんでもない目にあった例もあります。

「危ない」と感じる一瞬の感覚は、この第六感のなせる業《わざ》です。ですから、なんとなく胸騒ぎがするようなときは、周囲への気遣いなどから「大丈夫だ」と思い込むことで不安を封印したり、「気のせいだ」で片づけたりしないようにしたいものです。それは、自分の命を守るためのものであったり、不運を避けるためであったりする、人間としての〝最高司令塔〟である魂からのメッセージなのですから。

この魂からのメッセージを受け取る習慣ができているかどうかは、自分の周りをみてみれば、およそ見当がつきます。何事もうまくいっていると思えれば、メッセージを感知し実行しているといえますし、不運が多いと感じる場合は、メッセージを無視しているか鈍感になっていると考えられます。

もっとも、人間は、文明の発達にともない、第六感の能力がかなり鈍ってきているようです。自然と一体になって暮らしていた昔、人は直観で得た情報をいまよりずっと大切にして生きていました。地震や嵐、異常気象など、身に迫る天変地異をすばやく察知し、未然に対処する能力があったのです。

いいかえれば、魂からのメッセージを受信する能力に長《た》けていたということです。そうした能力が鈍ってしまうと、危険なものを危険と認識することができず、身体に悪い添加物の混じったものでも食べつづけて身体を壊すことになったりもします。

では、この直感力を鋭敏にして、日常生活に役立てるにはどうすればいいのでしょうか。そのポイントを次に列記しておきましょう。

①直観力はだれにでもある能力だと知る

②なにか感じたら、それがたとえ些細《ささい》なことでも、即実行に移すようにする

③知りたいと思ったことには、必ずなんらかの反応があると思って、自分に問いかける習慣をもつ。そして、心の声に耳を傾ける

④素直な心を保つ

最初のうちは、失敗だったというようなことがあってもかまいません。くじけず、自分の感じたことを信じてみるのです。そうすれば、メッセージを受け取るルートが自然と太くなっていきます。

素直に実行しているうちに、「見事!」としか表現のしようのない小さな奇跡をいくつも経験することになります。偶然としか思えないようなことが起こる場合もありますが、それは決して偶然などではないことを胆《きも》に銘じておいていいでしょう。

●筋力を応用して身体を診る

ここで、すこし時代をさかのぼって、ＳＭＲテストが確立されるに至ったプロセスをお話ししましょう。

西洋医学に限界があると感じた私が、西洋医学以外の治療法に関心を向けたのは自然の成り行きでした。そして、最初に出合ったのが漢方です。

漢方は個人の体質を重視し、しかも一つの器官にとらわれることなく、身体全体に起きている現象を診て治療法を選択します。風邪一つにしても、症状、時期、体質によって何通りもの処方があり、その人に合った処方を選択すれば、早く確実に治すことができます。

女性に多い冷え症は、西洋医学ではいい治療法がありませんが、漢方にはあります。また、いまだ病気にはなっていない、いわゆる「未病」の状態での治療や体質改善のための治療法もあります。

私は常々、早く、確実に、安く治したいと思っていましたから、漢方は私のなかで不可欠な存在となりました。いまでは診療の六〜七割が漢方で占められています。

しかし、ある人が冷え症を訴えたとして、適切な漢方薬を処方することはできても、なぜ冷えるのかという原因を見極める方法は漢方にもありません。

漢方を取り入れるようになってまもなく、気功や手当てで病気が治る例があることを知ったのです。それは私にとって新鮮で、ショッキングな出来事でした。

——医学的知識がなくても病が治るのはなぜか。

——病気とは何か。

こうした素朴な疑問が湧いてくると同時に、気功に興味をもった私は、さっそく気功を研究し、治療に応用してみました。すると、驚くべき効果が得られたのです。

たとえば、椎間板《ついかんばん》ヘルニアといわれて何カ月も苦しみ、やっとの思いで来院した患者さんが、一回の気功でなんの痛みもなく歩いて帰っていったとか、お腹の激痛が短時間で完治したとか……。

「気」の実在を確信した私は、「気」という視点で人を診ることの大切さにも気づいたのです。それ以来、経絡《けいらく》（生命エネルギーが流れる経路のこと）を測定して、経絡の面から身体の異常を考察したり、尾骶骨《びていこつ》や仙腸関節のゆがみなどは私自身が「気」で治したりしています。

「柔よく剛を制す」という言葉があるように、肉体的な力よりも「気」の力が上位で、「気」を使うと力以上のパワーが出せるようになります。

「病は気から」という古諺《こげん》があります。ここでいう「気」は、気持ち、気力といった心の動きを意味しています。心の動きとは、気あるいは生命エネルギーと同じものです。心の動きひとつで「気」の流れが大きく変わるのです。心と体を柔らかくして、どんなことにもこだわらず感謝できる心をもつことで「気」の流れがよくなります。

しかし、私は「気」を研究しながらも満足しきれず、さまざまな療法に可能性を求める日々が続きました。そして、いまから十八年前、ニューヨーク心臓病研究所所長の大村恵昭博士が開発した「バイ・デジタル・オーリングテスト」に出合ったのです。人間のもつ感性の鋭敏さに驚嘆しました。

人間の能力だけで微細な異常までみつけることができ、副作用のない薬を選択できる方法と巡り合えたことは私に大きな転機をもたらしました。それはまさに〝目から鱗《うろこ》〟で、多くの医師にこの方法を知ってほしいと心底から思ったものです。

バイ・デジタル・オーリングテストを簡単に説明すると、指の筋力を応用して体の異常をみつけたり、薬の適否のみならず、もっとも効果的な量を決めたりすることができる方法です。

具体的には、病原菌、化学物質、金属など、病気にかかわるさまざまな物質のサンプルを手にもって病巣部に接触すると、それと同じものが病巣部にあれば指の筋力が弱くなる（これを共鳴現象といいます）ことから、簡単に原因を推定することができます。

オーリングテストのすばらしいところは、指の筋肉を使って正確に把握《はあく》でき、しかもすこしの工夫で、手軽にどこでも行なうことができることです。

◉――自分の意思とは無関係に反応

筋力を使って体の状態を診る方法は、すでに二十世紀後半、身体運動の研究者であるアメリカのカイロプラクティック・ドクターであるジョージ・グッドハート博士によって、「アプライド・キネシオロジー」として体系化されています。

キネシオロジーでは、テストされる人がどちらかの腕を水平に伸ばし、その手首の上に、検査をする人が二本の指を乗せます。そして、「抵抗してください」といって押し下げ、そのさいの筋力の強弱によって判定するものです。

テストを受ける人に身体にいいものをもってもらったり、好きなことをイメージしてもらったりすると、抵抗力は強くなります。逆の場合は弱くなります。

これは、もともと身体に備わっている生理的な反応です。身体は生命エネルギーの流れを活発にするような刺激には強い筋肉反射を起こし、逆に不活発にするような刺激には弱い反応を起こすのです。いいかえれば、命を育《はぐく》むものには強く、損なうものには弱く反応するということです。これは、動物が命を守るための本能的な動きでもあるのです。

さらに、精神医学のジョン・ダイアモンド博士は、微笑むと筋力は強くなり、ネガティブな感情をもつと弱くなるというように、感情や意識によっても反応することを発見しています。このアプライド・キネシオロジーは、アメリカでは科学的方法であることがすでに認められているのです。

また、「タッチ・フォー・ヘルス（キネシオロジーと東洋の陰陽五行理論を融合させ、ふれることで身体のバランスを整える療法)」の国際トレーニング・ディレクターを務めていたゴードン・ストークス氏と、人相学の権威であるダニエル・ホワイトサイド氏は、共同でキネシオロジーを応用した「スリー・イン・ワン」という療法を開発しています。

これは、相手にさまざまな質問をしながら、下に向けて伸ばした両腕の抵抗力をテストし、心身に不調和を起こしている過去のストレスやネガティブな感情をみつけだし、解放することを目的としています。

ここにあげたバイ・デジタル・オーリングテストと、アプライド・キネシオロジーおよびそれを応用した方法は、どちらも筋力を利用している点では共通していますが、言葉で問いかけることが認められているかどうかで大きな違いがあります(ちなみに、バイ・デジタル・オーリングテストでは認められていません)。

私は、どちらも正しく、すばらしいメソッドだと考え、これらを統合して体系化しようと思い立ったのです。そのきっかけは、おもしろい治療法があると聞いて、ある治療院を訪れたことにありました。

治療師はなにやらボソボソとつぶやきながら、ベッドに横たわる私の指の輪を開く動作を何度もくりかえしていました。彼の声は小さく、何をいっているのかわからなかったのですが、私の意思とは関係なく、指の輪が開いたり閉じたりするではありませんか。

その反応を不思議に思ういっぽうで、私には、

「ああ、私の表面的な意識を超えた何かが、治療師の質問に答えるように、身体の情報を筋肉に代弁させているのだな」

と、直観的にその方法が正しいと感じられたのです。

「たしかに、指の筋肉は、自分が認識していないことでも、問いかけに対して正しく反応する。身体は、自分に関することはなんでも知っているということだ。うまく利用すれば、原因がわからないとされる難病やガンの治療にも生かせるのではないか」

私はさっそく、それを自分なりに工夫して診療に使いはじめました。すると、あとでくわしく述べるように、患者さんも診察している私もびっくりするようなことが次々と明らかになっていったのです。

私は、これはきわめて精度の高い情報収集手段であることを確信したのです。

そして、いまから十三年前の一九九四年、東海高次元研究会（のちに意識波動医学研究会へ発展）を主宰されていた宮崎雅敬先生との出会いがあり、ＳＭＲテストの体系化が私のなかで固まっていったのです。

ＳＭＲテストを使うことで、考えてもわからないことや、知識にないことがわかると感動すら覚えます。人間とはいかなるものか、人間の潜在能力がいかにすばらしいものであるか、すこしでもご理解いただけたでしょうか。

第1章

病気は「心の不調」が原因だった！

◉病原菌と心が共鳴すると感染が起きる

「病は気から」という言葉があるように、心が病に大きくかかわっていることはだれしも納得できるところです。では、どのようにかかわっているのかを考えてみましょう。

腰や膝の痛み、頑固な肩こり、足や腕の神経痛などに悩まされている方は多いと思います。頑固でなかなか治り難い症状の場合、その原因に細菌やウイルスが絡んでいることがよくあります。

細菌の大きさは、およそ一〇〇〇分の一ミリ程度です。ウイルスにいたっては、さらにその一〇〇分の一ほどの大きさです。なぜ、こんなにも小さな微生物に私たちの身体が苦しめられるのでしょうか。不思議だとは思いませんか。

身体に病原菌が侵入すると、それを駆除しようとして免疫力が活発になりますが、い

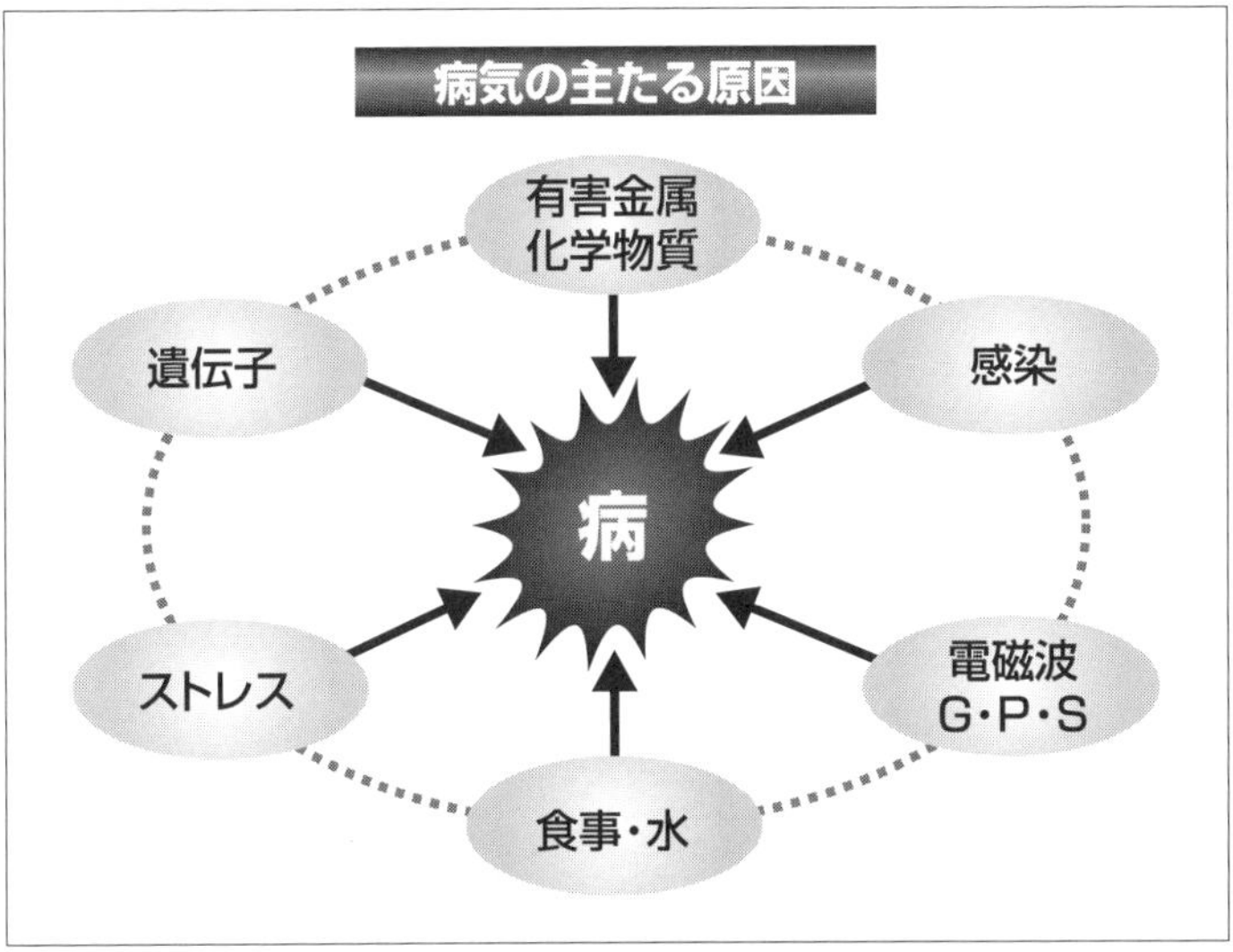

つまでも病原菌が居座りつづけるというのは、それなりの理由があるはずです。免疫力がよほど低下しているか、免疫力が働いているものの、いっぽうで病原菌にエネルギーを供給しているものがあるのではないか――私はそんな素朴な疑問から、一つの仮説を立ててみました。

存在するものにはすべて固有の波動があります。身体のなかの細胞、組織、臓器はいうにおよばず、感情や意識にも固有の波動があります。波動の性質として、お互いの波動が同じであると共鳴が起こり、二者間で引き合うようになります。と同時に、エネルギーは高いほうから低いほうへ流れるという現象が起こります。

病原菌となるウイルスや細菌も、それぞれ固有の波動をもって私たちの周りに存在しています。もし、私たちが発する意識や感情の波動が病原菌と同じか、きわめて似かよったものであったら、どうなるでしょうか。

共鳴によって病原菌が引き寄せられ、エネルギーが病原菌に流れて、病原菌が勢いを増すことが考えられます。それが感染といわれるものです。

この現象は、テレビに映像が映し出されるのと似ています。大気中にはさまざまな電波が飛び交っています。テレビのスイッチを入れて、あるチャンネルに合わせると、テレビはそのチャンネルに固有の電波を発信することになります。そして、テレビ局が発信する数ある電波のうち、同じ周波数のものを共鳴によって引き込み、映像として映し出すのです。

そうすると、感染が起きているということは、私たちの身体から病原菌と共鳴する波動（意識・感情）が発信されていると考えることができます。これはいいかえれば、自分のなかにどんな感情があるのかを知ることができれば、感染の原因がわかり、病気を根本的に治すことができるということになります。

病原菌と共鳴するものは、怒り、非難、心配、恐れといったネガティブな意識や感情です。これらは免疫力も低下させるため、いっそう感染が起きやすくなります。感染が起こる原因には、気候、環境、衛生状態、疲労など、さまざまな要因があることはいうまでもありません。

◉――心の状態は相応する肉体的変化をともなう

病原菌からだけでなく、自覚症状のある部位から、なぜその病気になったのかを推測することもできます。たとえば――。

――目であれば、ありのままにみるのではなく、自分の考えという色眼鏡を通して相手をみていないか。

――耳であれば、都合の悪いことや特定の人がいうことは聞きたくないと思っていないか、など。

あとで述べる五行や、第5章で説明するチャクラのもつ意味などを加味すると、心理状態をより深く知ることができます。

心と体は一体ですから、心の状態はさまざまな形で身体に反映され、それに相応する肉体的変化をともないます。身体に異変をきたした場合、どんな心理が働いたのだろうかと、まず自分の心のなかをふりかえってみてください。きっと、なにかに気づくはずです。

身体の不調を通して心の問題をみることは、精神的な成長にもなります。病状から読み解いた内容を患者さんに話すと、

「どうして、私の心のなかがわかるんですか」

と不思議そうな顔をされます。

ときにはその内容が心の琴線《きんせん》にふれて、涙を流して打ち明け話を始める人もいます。心の内奥にくすぶっている問題と真正面から向き合うと、意外なほど簡単に精神的重圧から解放されるものです。

いま、自分が超えなければならない課題や精神的な問題は、いま抱えている身体のトラブルと無縁ではありません。むしろ、精神的問題が身体的不調を起こしているといってもいいでしょう。このことを如実に物語るケースを紹介しましょう。

六十歳の女性が八年前から耳鳴りに悩まされていました。治療をしてもいっこうによ

くなる気配がなく、左の耳からは拍動が聞こえ、右の耳はガンガン響いて頭重がし、気分がとても悪いといって私の医院をたずねてきました。

この女性は夫と姑の三人暮らしでしたが、夫と姑の親子関係が強くて、そのなかに入り込めず、これまでいろいろなことに我慢してきたのです。姑はよく他人の悪口をいうそうですが、それを聞くのがつらくても、自分からは一言もいえなかったといいます。

これまでの状況から、夫と姑のいうことは聞きたくないという思いが、耳鳴り、頭重感の原因になっていることは容易に想像できます。姑に対する屈辱感と怒り、夫に対する不信感や絶望感といった感情が血流を悪くし、免疫力を低下させ、病原菌とも共鳴したのでしょう。

この女性にとって、これらの感情を除くことは簡単ではありませんが、原因を除かないかぎり治らないことを理解し、その方向へ努力するほかありません。夫と姑に感謝できることはないか、みつけることから始めます。

「あなたにとってもっとも信頼できる、かけがえのない息子がいるのは、だれのおかげですか」

「あなたがお姑さんに一言もいわなかったことが、かえって事態を悪くしたこともあったのではありませんか」

これまでのことをふりかえり、見直す作業を何度かくりかえしていきました。すると、しだいに感情の高ぶりが改善され、徐々に耳鳴りも気にならないほどになったのです。

体の不調は心に影響し、心の問題は体に反映されます。体の異常がなかなか改善されないときは、心の問題を考えてみると早く解決できることがよくあります。

◉──心と体の不思議な関係

中国には古来より、自然界すべてを「木・火・土・金・水」の五つの性質に分けて考える「五行説」があります。ここでは、そのなかの臓器と心の状態のみに焦点をあててみていきましょう。

「五行説」には、「怒りが過ぎると肝臓を、喜びが過ぎると心臓を、思いが過ぎると脾臓を、悲しみが過ぎると肺を、恐れが過ぎると腎臓を傷める」とあります。

私は、このことを現代的な方法で確かめるために、臓器と心の関係について電磁場情報測定器を使って研究してみました。すると、見事に符合したのです。と同時に、臓器を傷めないようにするためには、どんな心の持ち方をするのがいいかを考えてみました。その結果を次にまとめておきます。

●肝臓・目などが弱い人――怒りっぽくなっていませんか

木には、**肝臓**、**胆嚢**、**目**、**筋肉**などが属し、これらは「怒り」の感情の影響を受けます。一般的に、肝臓が悪くなる原因として考えられるのは、酒の飲みすぎです。しかし、もう一つ大きな要因として考えられるのは、怒りの心があるということです。

怒りの感情をくすぶらせたままにしていると、肝臓へのエネルギーの流れが悪くなり、その働きを弱めるだけでなく、筋肉や目の病気にもなりやすいということです。ただ、肝臓を悪くするような怒りの感情が、表面的にみたのでは何に起因しているのかわからないことがあります。

たとえば、幼いころに受けた心の傷が原因であることがよくあります。最初はなにかのことで親に対して反感を抱く程度であったものが、改善されないまま続いていくと、しだいに怒りに変わり、ときには恨みにもなります。

それは逆に、親から、反感や怒りを受けることになり、潜在意識のなかに、自分は親から温かく迎えられない人間であり、親の愛を受けられないという恐怖心として記憶されます。その恐怖心は、ちょっとしたきっかけで怒りとして表面に出やすいのです。

肝臓を悪くしないためには、過去をふりかえり、反感、怒り、恨みといった感情を抱くにいたった出来事を冷静にふりかえり、原因を除くことが大切です。根元から断ち切るために、自分の立場からだけでなく、関係した人の立場から、あるいは第三者の視点から、何度でもそのことをみるようにしてください。

なかには思い出したくないこともあるでしょう。であればいっそう、そのことに勇気をふるって光をあててみるのです。自分のいうことを聞いてくれなかった、認めてくれなかった、自分は愛されていない、見捨てられた、といった感情があるかもしれません。それはなぜなのか、よく考えてみることです。

自分も相手のことをそのようにみていなかっただろうか。不思議なことに、くりかえしみているうちに、それほど大したことではないな、と思える瞬間が訪れます。そして、うんと楽になります。

あるいは、「今日一日しかないとしたらどう生きるか」と、自分に問いかけてみるのもいいでしょう。「今日一日しかないのなら、怒っていてもつまらない。楽しくやるしかないか！」と開き直れれば、しめたものです。

●心臓・小腸などが弱い人——人を裁いていませんか

火には、**心臓**、**小腸**、**舌**、**血管**などが属し、「喜び」の感情に影響されます。喜ぶことは身体にいいのですが、「過ぎたるは猶《な》お及ばざるがごとし」です。うれしいことがあったからといって度を越して舞い上がれば、頭に血が上り、血圧が上昇しないともかぎりませんし、周囲の顰蹙《ひんしゅく》を買うことにもなります。

また、「喜び」のなかには、感心しない種類の喜びも含まれます。人をいじめて喜ぶ、あざ笑う、人の不幸を喜ぶ、心で人を裁くといったものです。こういった感情は心臓の働きを低下させます。

逆に、よくするには、自他への思いやりの感情を育むようにすることです。ありのままの自分を受け入れて好きになり、他者に対して思いやりの心で接することが、心臓、小腸、舌の働きをよくします。

●膵臓・胃などが弱い人――考えすぎてはいませんか

土に属するのは、膵臓、胃、口などで、「思う」ことに影響を受けます。考えすぎたり、なにかを心配し、そのことを思いつめていたりすると、胃や膵臓などの消化する力が弱くなります。

食欲がない人をみると、「なにかあったの」と声をかけたくなりますが、それは心に悩みがあると、食欲がなくなることを経験的に知っているからでしょう。失恋して、なにものどを通らなくなるとか、思い悩む日が続くと胃がキリキリ痛むといった症状も、「思い」と消化管の関係を如実に示すものです。

「思い」が過ぎるには、どんな原因があるのでしょう。予想もしなかったことへのショック、心配事がいつまで続くのだろうという未来への不安、早く心配事を片づけてしまいたいという焦り、あるいは自分という存在を周囲に認めてもらいたいがために、しなくてもいいことまで背負い込んでしまい、そのことで悩んでしまう、ということなどではないでしょうか。

未来への不安は、台風がきたらどうしよう、地震が起きたらどうしようと、起こるかどうかわからないことを心配するようなものです。

何が起こってもいいように、心の準備はしておくとして、「起こったらそのときに考えよう」と、何事も楽観的にとらえることです。いいところをみせよう、あるいは自分がしなければと必要以上に無理をしないことです。

●肺臓・大腸・鼻などが弱い人——いいたいことを無理に抑えていませんか

金に属するのは、**肺**、**気管**、**大腸**、**鼻**、**喉**、**皮膚**などで、「悲しみ」の感情に影響されます。身内に不幸などがあったりして悲しいときには、思いきり泣くのもいいことです。泣くことによって悲しみのエネルギーが放出され、立ち上がりが早くなります。

あるいは、スポーツを思いきり楽しんだり、体を動かしたりして汗を流してみてください。歌を歌ったり、大きな声を出したりすることもおすすめです。肺に流れるエネルギーが活発になり、悲しみをどこかに吹き飛ばしてくれるでしょう。

肺や気管支などに問題を抱える人は、しばしば思っていることがいえず、気鬱《うつ》の状態といって、喉もとにエネルギーが停滞していることが多いものです。思ったとき、感じたときが言い時と心得て、素直にそれを表現しましょう。

●腎臓・膀胱などが弱い人――恐いと思いすぎていませんか

水には、腎臓、膀胱、耳、骨などが属し、「恐れ」の感情に影響されます。腎臓、膀胱が弱ると冷えが生じます。何事につけ悪いほうに考えてしまう、ちょっとしたことでも極端に恐がるといった心の状態は、腎臓や膀胱のみならず耳や骨にまで影響してしまいます。

「恐れ」の感情は、その実態をみようとしないでいると、ますます大きくなるものです。勇気をもって目をそらさずに対峙してみることです。逃げずにみることができれば、解決へぐっと近づきます。

「なんだ、こんなことが原因で、こんなにまで恐れていたのか」と、胸を撫《な》でおろすことになるでしょう。恐いと思いすぎていると、腎臓や膀胱を傷めることになります。

◉――ガンに多い精神的ストレスとその対処法

私たちの身体には、外的侵襲から身を守る免疫機能が備わっており、身体に悪いものが少々入っても、乗り越えられるようにできています。

たとえば、体温や水分を自動的に調節し、身体を環境に適応するように変化させます。疲れたら、休息のために眠くなります。不必要なものは排泄します。そうやって生命を維持しているのです。

人間にはそうしたすばらしい機能が備わっているのに、病気になってしまうのはなぜでしょうか。その能力を超えるほどの過剰な負担を身体に強いてしまうからです。

さまざまな要因が複合的に作用して免疫力を低下させ、代謝障害を起こし、ガン遺伝子ができていきます。意外に思われるかもしれませんが、ガンの原因のなかでももっとも大きなウエイトを占めているのが精神的ストレスです。

私の調べたところで、ガンの原因としてウエイトの大きいものから並べると、精神的ストレス、体内汚染、慢性持続性感染、水と食の問題、電磁波などの環境因子、そのほかとなります。

『免疫革命』などの著書で知られる安保徹教授も、

「ストレスは交感神経の緊張をもたらし、その結果、顆粒球が増加して活性酸素がふえて組織に傷害を与え、免疫機能を低下させます。それが、ガンの大きな原因です」

と述べています。さらに、

「ガンの患者さんはリンパ球の割合が三〇パーセントを下まわる（正常な人は三五～四一パーセント、絶対数にして一マイクロリットル中二一〇〇～三〇〇〇個）免疫抑制の状態にあるが、治療などによって三〇パーセントを超えると自然退縮が始まります」

とも述べています。

しかしながら、リンパ球の割合も絶対数も正常範囲内にありながら、強烈なストレスがかかると短期間にガンが発生する人もいます。強烈なストレスは急激に身体の機能をガタガタにして、ガン細胞を短期間に増殖させてしまうのです。

ガンの原因のなかで物理的なものは比較的対処しやすいといえますが、心の問題は個人的な要素が強く、一筋縄ではいきません。ガンを増長させないための心のもちようとは、どのようなものでしょうか。

ガンにかかわる精神的ストレスは、大きく分けて、

①我慢・辛抱

②恐怖心・劣等感

③信頼の喪失
④絶望感

の四つがあります。これらについて、どう対処したらいいのか考えてみましょう。

●我慢・辛抱――いい人を演じない

免疫力を低下させる精神的ストレスのなかでもっとも多いのは、自分の感情を抑えて必要以上に我慢や辛抱をすることです。

日本にはまだ、我慢や辛抱を美徳とする価値観が根強く残っています。そのため、自分の意にそぐわないことがあっても、どうしても我慢してしまいがちです。また、まじめな性格の人ほど、「人間、辛抱が肝心だ」とばかりに、心身が悲鳴をあげているにもかかわらず過酷な状況に身を置いてしまう傾向があります。

●くたくたに疲れているけど、ここで自分だけ休むわけにはいかない。もうひとがんばりだ。

●こんな仕事をするのはイヤだ。でも、上司の命令には逆らえない。自分の気持ちを抑えつけてでも従わなければなるまい。

●自分にも意見はあるけど、周囲の反発を買うかもしれない。イヤなヤツだと思われたくないから黙っていよう。

●もう限界だ、この仕事からリタイアしたい。でも、周囲の期待を裏切ってしまうわけにはいかない。自分が我慢すればすむことだ。辛抱しよう。

●イヤなことばかり押しつけられて、損な性分だ。でも、そんな自分を周囲は「いい人」だという。我慢して雑用係に甘んじるしかないのかな。

こんなふうに、日々、我慢・辛抱を重ねている人は少なくないでしょう。もちろん、ときには我慢や辛抱も必要です。なにか達成したい目的があるのなら、そのプロセスにおいて我慢しなくてはならないことがたくさんあるでしょう。

そういう我慢や辛抱ならいいのです。その先に達成感や充実感、幸福感があって、自分から求めて試練に耐える道を選択したのであれば、エネルギーはプラスの方向に作用し、ストレスもさほどではありません。逆に精神的にタフになれるメリットもあります。

しかし、先の例にあげたような我慢・辛抱はしたくありません。なぜなら、周囲の思惑や評価に振りまわされているだけで、自分の気持ちが後ろ向きだからです。

自分の気持ちに反する我慢・辛抱をすると、どうしても自分に理不尽なことを強いる他人や社会を恨んだり、憎んだりするようになります。自己嫌悪に陥ることもあるでしょう。つらいだけの人生にイヤ気がさすかもしれません。それは大きなストレスになって、身体をボロボロにします。

ある女性が皮膚ガンと診断され、セカンドオピニオンを求めて私のところへやってきました。

「病気には必ず原因があります。その原因を除くことがもっとも大切です。そのなかで大きなウエイトを占めるのは、精神的な要因です。病院での治療は継続していただくとして、原因を除いて免疫力を回復させることを考えましょう」

と、私がいうと、

「そういえば、私はずっと本来の自分と葛藤するような生き方をしてきました」

と、その女性は答えました。

本来の自分と葛藤するような生き方をしていると、身体を流れる生命エネルギーに混乱が生じ、免疫力を含めて、すべての機能が低下するといっても過言ではありません。

では、どうすれば本来の自分と葛藤しない、自分らしい生き方ができるのでしょうか。

私たちは、それぞれ独自の個性、能力、特徴をもって生まれてきます。その特徴を最大限に生かし、自分自身に誠実に生きることです。自分は何をしているときがいちばん楽しいか、どんなことに本気になれるか、だれかに遠慮していないか、などと考えてみると、自分自身に誠実な生き方ができているかどうかわかるでしょう。

だれかにいいたいことがあるのにいいだしにくいとき、思いきって、「相談に乗っていただけませんか」と切り出してみるのです。人は頼られると気持ちがゆるみ、心が開くものです。そうして自分の正直な気持ちを伝えると、相手の共感が得られ、あとの展開がスムーズに進むことがよくあります。いいたいと思ったときにいう、そのタイミングを逃さないことが大切です。いいたいと思うのは、いう必要があるから思うのです。

逆に、本来の自分にそぐわない生き方をしていると、後悔、罪悪感、苦悩、良心の呵《か》責《しゃく》、寂しさ、元気が出ない、やる気が起こらない、といった代償がもたらされることになるでしょう。私たちの寿命はたかだか百年です。周囲の思惑や、会社、人の評価を気にして〝いい人〟を演じる必要などさらさらないのです。

●恐怖心・劣等感——目の前のことに全力投球

過ぎてしまったことを後悔して、ああすればよかった、こうすればよかったと嘆いたり、なにかにつけて先々のことを心配して、どうしよう、どうしようと心が休まる暇もなく悩んでいたりする人もいます。

忘れたい、思い出したくないと思えば思うほど、蘇《よみがえ》ってくるのが忘れたい過去でもあるので、たしかに厄介です。反対に、なにかいやなことがあったら、忘れようとせずに、「忘れまい」と心に刻み込んだほうがいい場合もあります。

どんなにいやなことにも、学ぶべきことはあります。それを十分に学ばないままにしていると、いつまでもいやな思い出として尾を引いてしまいます。

「あのことは、決してムダな経験ではない。なにか学ぶべきことがあるはずだ。それを探してみよう」

と思い直してみるのです。しっかり思い出して、さまざまな立場や視点から眺めてみてください。そして、どうすればよかったかを考え、「こんな思いを二度としないですむように生きていこう」と決意するのです。

自分にとって大事なのは過去ではなく、いまどう生きるかなのです。過去は今後につながる土台となるものです。すべての過去が積み重なってこそ、堅固な石垣となり、その上に自分らしい城が築けるのです。

以前、NHKテレビで、福井県にある曹洞宗の大本山、永平寺の住職である宮崎奕保《えきほ》禅師が、禅の極意について次のように話していました。

「前後を絶って、ただ座れ。昔のことや、これから先のことを思いわずらうのはやめて、なにも考えずにただ座っておれば、大自然の叡智《えいち》にふれることができる。人が生きるうえで、そういう時間をもつことがいちばん大切だ」

百四歳を迎えた師は、十一歳で修行僧として禅寺に入って以来九十年、一日も欠かさず座禅を続けてこられたとか。それだけに重みがあります。

「過去をふりかえらず、未来を思いわずらうことなく、ただ目の前のことをしっかりやっておれば、それでいいのだ」

これこそ、悩みなく生きる極意といえるものではないでしょうか。

過去を嘆き、未来を憂える人は、他人と自分を比較して、劣等感を抱く傾向もあります。肉体的なことから、学問や芸術に関する知識・能力にかかわること、生い立ち、性格など、劣等感を抱く理由はさまざまです。だれかと自分を比較した時点でもう、自分らしさを忘れてしまっているのです。

私はそんな人に対して、よく野菜の話をします。

「野菜にはピーマン、キャベツ、トマト、ニンジン、カボチャ、キュウリ……数えあげればキリがないほどたくさんあります。人間も同じです。あなたがピーマンなら、彼はカボチャで彼女はキュウリ、上司はニンジンで部下はトマト、みんな違っています。違って当たり前。違っているからこそ、世のなかはうまく回っているのです。

ピーマンとカボチャのどちらが優れているか、比較することに意味がありますか。ピーマンを好きな人もいれば、カボチャが好きな人もいます。ピーマンはピーマンらしくあってこそ、価値があり、引き立つのです。あなたもほかの人と同じである必要はないし、人に合わせる必要もありません。あなたには、あなたしかできないことがあるはずです。それをトコトンやればいいんです」

●信頼の喪失――このくらいですんでよかった

信頼していた家族や友人、仕事仲間に裏切られると、心はとても傷つきます。なかには、そのショックから抜けきれず、鬱々《うつうつ》とした日々を過ごす人もおられるでしょう。あるいは、裏切った人に恨みを抱き、「いつか痛い目にあわせてやる」などと、よからぬ考えにとらわれる人もいるかもしれません。

そうすると、心のマイナス波動はどんどん大きくなり、身体はどうにもならなくなります。傷口をそれ以上広げないためには、受けた傷はしようがないものとあきらめ、事実をありのままに受け入れるほかありません。そして、こう考えてみてください。

「因果応報というではないか。自分でも知らないうちに、かつて人を傷つけたツケがいま回ってきたのかもしれない。それなら、この苦しみは、その負債を帳消しにするチャンスと受け取ろう。ここで人を恨んだり憎んだりすると、新たな未来への負債を抱えてしまう。そんな不毛なことはよそう。このくらいですんでよかった」と。

不幸な出来事であればあるほど、人はそれが現実に起きたことではないと思いたいために、なかなか受け入れられないものです。しかし、勇気を出して、あるがままに受け入れてみてください。落ちるところまで落ちたと思えば、あとは上がるだけです。

そう思えば心がスッと軽くなり、裏切られたショックを乗り越えて、前向きに生きていくことができるはずです。

●絶望感——一人ぼっちではない

家族や恋人、親しい友人など、愛する人を亡くすのは、ほんとうにつらいものです。

食事がのどを通らなくなったり、何をする気にもなれずに〝生ける屍《しかばね》〟のごとく日を送ったり、心にぽっかり穴の開いたような寂しさに襲われたりします。

連れ合いを亡くして深く悲しむあまり、あとを追うように自分の命の灯も絶やしてしまうことが少なくありません。気持ちは痛いほどわかります。しかし、悲しみに浸ってばかりいると、自分自身の生命力が萎え、それだけ身体の抵抗力も弱まってしまいます。

悲しいという事実に変わりはないのですから、悲しいときに悲しみを我慢することはありません。涙が枯れるまで泣き、どっぷりと悲しみに暮れる時間も必要です。こうして悲しみを涙とともに吐き出すと、不思議と心が洗われるような、スッキリとした気持ちになれるものです。そして、こう考えてみてはどうでしょうか。

「私には私の人生がある。与えられた命を大切にして、人生を元気に全うしよう。いつまでも悲しみに暮れている私を、故人が喜ぶはずはない。あの人は死んでしまったけれど、魂は生きている。生きて、私を見守ってくれている」

以前、作家の新井満氏が紹介した一編の詩が、愛する人を亡くした人の心を癒してくれると話題になったことがあります。『千の風になって』というタイトルの詩でしたが、もとは作者不詳の英語詩だそうです。

私のお墓の前で泣かないでください
そこに私はいません　眠ってなんかいません
千の風に　千の風になって
あの大きな空を吹きわたっています
秋には光になって　畑にふりそそぐ
冬はダイヤのように　きらめく雪になる
朝は鳥になって　あなたを目覚めさせる
夜は星になって　あなたを見守る――

（JASRAC　出0703750-701）

こんなふうに思うと、愛する人が死んだあとも、ともに時間を紡《つむ》いでいるような気がしてきます。それだけで心穏やかに生きていくことができるのではないでしょうか。これまでみてきたように、心穏やかに生きることは健康に不可欠なことで、元気になるもっとも大切な知恵です。

第2章

意外なところにある
健康の盲点

◉――身体にいいことをする前に悪いことをやめよう

「病気の原因は、生活習慣のなかにある」――このことは、現在、死亡原因の一位であるガンも例外ではありません。ただ厄介なことに、ガンは体内で育っているにもかかわらず、本人はまったく異変に気づかないことが多々あることです。

「なにも自覚症状がないのに、健康診断で突然、ガンが発見された」

「別の病気で受診したら、偶然、ガンがみつかった」

「どうも体調が思わしくないので病院にいったら、末期ガンであると診断された」

といった話を、みなさんも耳にしたことがあると思います。

なぜ、そんなことが起きるのでしょうか。理由の一つは、ガン細胞は外部から侵入してきたのではなく、正常だった細胞が変異したものであるため、身体が異物として認識しづらいということです。しかも、人間の身体には、すこしくらい障害が起きても、損なわれた機能を補うシステムが備わっているため、症状が出にくいのです。それで、気づかないうちにガン細胞をすこしずつ成長させてしまうわけです。

ガンにかぎらず、病気になるプロセスは縄にたとえるとわかりやすいでしょう。縄は大人が力を合わせて引っぱってもなかなか切れるものではありませんが、縄をつくる一本一本の藁は細く、弱いものです。弱い藁がいくつも束ねられて強い縄になるのです。

病気も、いくつかの健康上の盲点が重なるにつれて、どんどん勢いを増していくのです。どんなに強い縄でも、それを形づくっている藁を一本ずつ切っていけばいつかは切れるように、病気の治療は、生活習慣のなかから身体に悪影響を与えている原因を一つずつみつけて改善していくことが基本です。

昔はそれでよかったものが、大気汚染、食べ物や飲み物の汚染、昼夜を問わず飛び交う電磁波の問題など、自分ではどうすることもできない要因がふえているために見逃せなくなっています。だれしも、健康に悪いとわかっていれば気をつけていたはずです。

ただ、それがほんとうに身体を蝕《むしば》むものなのかどうかわからないために、

「身体に悪いかもしれないが、すこしくらいなら大丈夫だろう」

「あんまり些細なことを気にしていたら、ストレスで体がまいってしまう」

などと思って、そのままにしている場合が多いのではないでしょうか。

「知らなかった」

「うっかりしていた」

「まさかそんなに悪いことだとは思わなかった」

というような、小さなことの積み重ねによって長年のあいだに身体に大きなゆがみが生じてしまうのです。

そして、体調を崩すと、原因はさておき、病院にいって薬を処方してもらおうと考えがちです。そのほうが簡単で、早く解決できそうだからです。でも、実際はそうともかぎらないのです。薬は原因を取り除いてくれるわけではないので、いつまた同じような症状が出ないともかぎりません。しかも、もっと深刻な状態で……。

病気の予防や治療にサプリメントや高価な栄養食品を摂っている方もいます。これも自分に合っていればよいのですが、なかには身体にとって弊害になるものが含まれていたり、必要のないものまで摂っていたりすることがあります。

効能書きをみて、あるいは人から聞いてよさそうだからと鵜呑みにすると、かえって身体に負担をかけることになりかねません。身体の不調は必ずしも悪いことではなく、「身体を酷使していますよ」「不自然なものを食べていますよ」といった大切なメッセージなのです。

身体にいいことをする前に、身体に悪いことをやめる——これが健康を守る原則です。悪いことをそのままにして、いくらいいことをしても効果は望めません。身体を悪くする健康の盲点について考えてみましょう。

有害金属・化学物質が身体を蝕んでいる

生活の豊かさ、医療の進歩とは裏腹に、以前にはなかった、ガン、難病、アレルギー疾患、生活習慣病などの病気がふえています。また、多くの人が、うつ病、パニック障害、自閉症などで心のバランスを崩しています。

なぜ、このようなことが起こっているのでしょうか。以前とどこが違っているのでしょうか。考えられる原因には、次のようなものがあります。

①体内汚染

水、食材、加工食品、各種飲料水、菓子類、嗜好品、大気汚染、新建材、化粧品、洗浄剤、日常用品などに含まれる有害物質が口、鼻、皮膚から身体に入っています。

②ストレス

競争社会がもたらす精神的重圧、過労、人間関係の希薄、教育のひずみなどによって、精神的ストレスを起こしやすい環境になっています。

③電磁波

コンピュータ、携帯電話、電化製品、車などから発せられる電磁波によって身体機能が大きく低下しています。

④偏った食事によるビタミンやミネラルの不足と過食

食材の劣化と、何をどのように食べたらよいかという食事の基本がおろそかになり、ファストフードを食べる機会がふえることで栄養のアンバランスが起こっています。

⑤車社会による運動不足

すこしの距離でも車や電車を利用することに慣れ、歩くことが少なくなっています。

⑥テレビ、新聞などによる情報過多

あふれる情報に左右され、自分で考える時間が少なくなり、本来の自分を見失っています。

以前にはなかったか、わずかしかなかったものが、その程度を増し、いくつかが絡み合って身体のバランスを崩しています。しかも、自然の破壊が進み、自然とふれあうことが少なくなっていることも、崩れたバランスをなかなか立て直せない要因になっているでしょう。

ご存じのとおり、私たちをとりまく環境は、大気も水も土も汚染されています。そんな環境で育てられた作物も汚染を免れることはできません。いったいどれくらいの野菜が汚染されているのだろうと思い、大型スーパーで売られている野菜を調べたところ、農薬の反応のないものはほとんどありませんでした。

それにインスタント食品はもちろんのこと、くだもの、お茶の葉、コーヒー、紅茶、植物油、調味料、佃煮、つけもの、マヨネーズなど、日常の食生活によく使われるほとんどのものに身体によくないものが含まれています。

現在、五万種以上の化学物質が流通していて、毎年おびただしい数の化学物質が市場に出ているといわれています。どれだけの食品に化学物質が含まれているかを考えただけで恐ろしくなります。これは、アトピー、喘息、花粉症などのアレルギー疾患や、不可解な行動をとる精神的に病んだ人たちがふえていることと決して無縁ではありません。

飲食物の一つひとつから摂取する有害物質は微量であるため、人体に深刻な影響をもたらすとは考えにくいかもしれません。しかし、多種多様の有害物質を長い年月摂取すると、身体に大きなダメージとなります。

有害物質で身体が汚染されると、代謝障害、血流障害、ホルモンのアンバランス、免疫力低下のみならず精神的に不安定になります。その結果、病魔に侵されやすい身体になってしまうのです。

有害物質には「環境ホルモン」と呼ばれるものがあり、そのなかにはガン細胞を直接刺激して増殖させるものもあります。私が調べたところでも、プラスチックの材料に使われるビスフェノール、ペンキの溶剤やドライクリーニングの洗浄剤に使われるテトラクロロエチレンは、ガン細胞を増殖させるテロメラーゼをふやすようです。

人の染色体の末端は、テロメアと呼ばれるDNAのくりかえし配列によって保護されています。テロメアは分裂するごとに減っていき、正常な細胞は五〇〜六〇回の分裂で死滅するといわれています。

ところが、ガン細胞はテロメラーゼという酵素によってテロメアを合成することができるために、永久に分裂増殖することができるのです。テロメラーゼを減らすことがガン治療に有効なのですが、化学物質のなかにはテロメラーゼをふやし、免疫力を低下させるものがあるのです。それもごく身近なところに、です。

ガン細胞の勢いがとまらないとか、ガンが再発したという場合、身のまわりの生活用品（バス、トイレなどに使う洗浄剤、芳香剤など）や食料品（加工食品など）を点検し、不自然なものは極力排除することが大切です。微量だからといって侮ってはいけません。

化学物質・有害金属を含んだものは、可能なかぎり生活から遠ざけることです。そして、解毒《げどく》を強化することが病気予防および回復への大きな柱です（第4章参照）。

化学物質のなかには安全なものもあるでしょう。安全かどうかは、調べたいものを手にもって、反対側の指の筋力を調べればすぐにわかります。いくら基準以下で安全といわれても、身体が受けつけないものは避けたほうが賢明です。命を守るための、もっとも信頼のおける情報なのですから。

◉――あなたの化粧品、安全ですか？

化学物質は、食べ物からだけでなく、空気中に含まれる有害物質を吸い込むことからも、また手・顔・口腔・頭皮からも洗剤（汚れおとし、カビ用など）、シャンプー、リンス、化粧品、歯みがきなどを通して入ってきます。

女性にとって必需品ともいえる化粧品を通して、有害な化学物質が体内に入ってくるとしたらどうでしょう。大切な肌にも健康にもよくないのですから、見過ごせません。たとえば、毛染め、ファンデーション、日焼け止め、ムースなどです。香水、化粧水、クリーム、マスカラ、口紅、マニキュアといったものにも有害な化学物質が入っていることがあります。ヘアマニキュアで湿疹が出た人、アイライナーで眼瞼《がんけん》が下がってきた人、逆に、化粧水を変えることで長年の目のかすみやドライアイが治った人もいます。

一つひとつはよくても、いっしょにするとよくない場合もあります。化粧品相互で化学反応を起こし、皮膚や身体に悪い影響が出るのでしょう。皮膚に接触した化粧品は、わずかずつでも皮膚から吸収され、血液の流れに乗って全身に運ばれます。口に入れてはいけないものは、肌につけてもいけないのです。

洗面所などに置いてある化粧品から発散される化学物質を子どもが吸い込んで、アレルギー性鼻炎やアレルギー性気管支炎を起こすこともあります。安全なものだけを使い、使わない化粧品類は処分することです。

「マイホームを購入し、引っ越しした途端に体調が悪くなった」

と訴える方が後を絶ちません。「シックハウス」と呼ばれる病気です。

このほか、家具に塗料を塗る仕事をしていて視野狭窄《きょうさく》、視力障害に加えて、ものの色がみえなくなった人、車の塗装で間質肺炎になった人、農薬散布で視力が低下した人、働く店の商品から出る化学物質で肌が荒れた人、家具のホルムアルデヒドやドッグフードが原因でいつまでも咳がとまらなかった人などがいます。

これらは氷山の一角にすぎません。化学物質が原因とわからなくて苦しんでいる人が大勢いるのではないでしょうか。

◉──歯の詰め物を除去したら皮膚炎がよくなった

次に、有害金属について話を進めましょう。

代表的なものは水銀です。厚生労働省薬事・食品衛生審議会の乳肉水産食品部会は妊婦などに対し、クロマグロなど一六種類の魚、鯨、貝などを食べすぎないように呼びかける注意事項案を発表しています。これらの魚介類に含まれるメチル水銀が胎児の発育に影響する恐れがあるためです。日常的に制限を越えて食べていると、さまざまなものの絵をみせて名前をいわせるテストで正解率が下がるなど、生まれた子どもに軽い発達障害が生じる心配があるとしています。

かつて水銀は農薬として広く使われていましたが、現在は使用が禁止されています。しかし、土壌に溶け込んだ水銀が作物に吸収され、知らないあいだに摂取している恐れがあります。

また、歯の治療に使われたアマルガムには水銀五〇パーセントと銀・銅・錫が含まれています。このアマルガムに含まれる水銀が口のなかで溶け出して、粘膜や消化管から吸収され、頭部や、筋肉、肘などの血流の悪いところに蓄積していることも考えられます。

水銀はごく少量でも、イライラ、憂鬱、集中力欠如、記憶障害などの症状を起こします。加えて、亜鉛の働きを阻害《そがい》するという問題もあります。亜鉛は、蛋白《たんぱく》質合成や活性酸素を除去する酵素活性に重要な働きをしているものです。

ガンの患者さんの脳をＰＥＴ（ポジトロン断層撮影）で診ると、大脳辺縁系や基底核、視床、前頭葉などに代謝の低下を示す像がみられるそうです。この事実からも、ガンは局所だけの問題ではなく、身体全体の代謝障害であることがうかがえます。

代謝障害の原因は、水銀をはじめとする有害金属と種々の化学物質ではないかと私は推測しています。原因となるものを特定し排除すること、解毒をすすめること、それに加えて微量ミネラル、ビタミン、酵素などを補う必要があります。

水銀が含まれているおもなものは、水道水、米、大型の魚などです。水銀はアレルギーとも密接に関係しています。アレルギー性皮膚炎のなかには金属アレルギーがあり、その多くは水銀です。これまで歯のアマルガムを除去することで、劇的によくなった例を何度か経験しています。

三十歳台の男性のケースですが、小学校四、五年ごろからアトピー性皮膚炎といわれて、治療しても一進一退の状態が続いていました。アトピー性皮膚炎は、ほとんどが両肘関節の内側と両膝関節内側に皮膚の炎症がみられますが、この男性は全身の皮膚に湿疹がみられるものの、関節の内側は正常に近い皮膚をしていました。

そこで、金属アレルギーを疑って歯のアマルガムを除去してもらったところ、症状が劇的によくなったのです。つまり、アトピー性皮膚炎ではなかったのです。

骨粗鬆症の原因の一つは有害金属

高齢化社会に向けて、心身ともに健全で、寿命まで自分のしたいことができる、いわゆる生涯現役でありたいものです。

でも、腰痛で動けなくなったり、認知症になったりしたのでは叶いません。腰痛の原因の一つに、骨粗鬆症《こつそしょうしょう》があります。骨粗鬆症は骨密度が低下して骨がスカスカになり、骨折しやすくなる病気です。

わが国の骨粗鬆症の患者さんは、女性が約八〇〇万人、男性が約二〇〇万人と推定されています。原因として、女性では、閉経による女性ホルモン（エストロゲン）の分泌低下によって骨代謝が悪くなり、骨の破壊が進むことが知られています。そのほか、骨に必要な栄養素の不足、運動不足などがいわれていますが、詳細はわかっていません。

骨粗鬆症の治療には、骨の吸収を抑える薬、骨の形成を促進する薬、吸収と形成を調節する薬などがありますが、思うように効果が現われないことがあります。私も、なぜなんだろう、なにかよい手立てはないものか、と考えをめぐらせていました。

そんなあるとき、堀田式野菜スープ（第3章参照）を飲んでいた患者さんの骨粗鬆症の検査をしたところ、六カ月前とくらべて劇的に改善されていることに気づいたのです。偶然かな、と思って複数の患者さんを調べてみると、みなさん同じ結果でした。

それで、なぜ堀田式野菜スープが効くのかを調べてみることにしました。すると、骨粗鬆症と診断された患者さんの骨にアルミニウム、カドミウム、鉛の反応がみられたのです。この事実から、これらの有害金属が骨の破壊に関係しているのではないかと疑ったのです。

それは、カドミウムが四大公害病（水俣病、新潟水俣病、イタイイタイ病、四日市喘息）の一つであるイタイイタイ病の原因だったことを思い出したからです。

この病名は、富山県の神通川流域でとれる農産物、魚類、水を摂取した経産婦がカドミウム中毒となり、次々に骨折を起こして身体中に痛みが走ったところから名づけられたものです。

堀田式野菜スープを飲むと、これらの金属の反応が消え、骨粗鬆症の検査の値がよくなることから、私は次のように推測しています。

「骨に蓄積したアルミニウム、カドミウム、鉛が酵素の働きを阻害することで骨の形成を抑えている。そうしたものが取り除かれると酵素の働きが回復し、カルシウムやビタミンKなど骨に必要な成分が摂り込まれて骨細胞の生成が改善するのではないか」

閉経後の女性は、豆腐、納豆、味噌などを積極的に摂ることをおすすめします。大豆製品に含まれるイソフラボンが、カルシウムが骨から溶け出すのを防ぐとともに骨形成を促進するエストロゲンと同じような作用をするからです。

そのため、**大豆はエストロゲンが減少する更年期の女性には有効と考えられています。**

大豆は〝畑の肉〟ともいわれ、良質の蛋白質、脂質、ビタミンB群、カルシウム、食物繊維などが含まれています。とくに、大豆ペプチド・プロテインは、脳細胞の活性化、活性酸素を除去する作用があることも知られており、認知症の予防にもなります。

豆腐、湯葉、納豆、味噌など大豆製品は、積極的に摂ってもらいたい食品です。骨粗鬆症の予防には、体重負荷による骨への刺激も必要ですから、戸外での適度の運動や散歩も忘れないようにしましょう。

アルミニウムは軽くて丈夫なので、ヤカン、電気ポット、鍋など、幅広く使われています。それだけ、飲み物や食べ物といっしょに身体に入りやすいといえます。カドミウムは、米、野菜、タバコなどから、鉛は、水道水、タバコなどから体内に入ります。

無農薬農法でとれた米も安心できない

私たちの食生活で、日々変わらず主食として食べているのは米です。食材のなかでもっとも多く消費されるものでありながら、ふだん、米のことに気をとめることはそれほどありません。毎日、何気なく食べている米に問題はないのでしょうか。

残念ながら、多くの米に、害虫を退治する殺虫剤、雑草を枯らす除草剤、カドミウムなどが含まれています。害虫や雑草も命ある生き物です。それが死んでしまうのですから、人間の細胞に与える影響もいいはずがありません。

たとえ、それらの量が基準以下であったとしても、長い年月のあいだにはしだいに体内に蓄積されていきます。野菜やくだもの、お茶、水からも摂取されることを考えると、とても安心できません。

「有機栽培や無農薬農法を取り入れて何年もたつ田んぼでとれた米なら大丈夫だろう」といわれそうですが、じつはそういう田んぼでとれた米でも、必ずしも安全とはいいきれないのです。というのも、ときに殺虫剤や除草剤の反応がみられることがあるからです。

土壌に以前使われた農薬が残っていたり、川上で農薬が使われていたりすると、それが川に流れ、川下の田んぼに入ることもあるでしょう。環境汚染によって汚染された地下水が田んぼに流れることもあります。水が問題なのです。

●玄米は身体にいいのか、悪いのか

玄米は、糖質、蛋白質、繊維、各種ビタミン、ミネラルを含む栄養価の高い食品ですが、玄米をめぐっては賛否両論があります。つまり、身体に悪いとする意見と、よいとする意見があるのです。

「玄米は身体に悪い」とする根拠には、玄米は白米以上に農薬を含んでいること、種皮に含まれるフィチン酸がミネラルなどの吸収を悪くすること、それにおいしくないと感じることなどがあると思います。おいしいと感じて食べることは、とても大切な要素です。心の緊張がとれ、幸せな気分になって消化吸収も促進されるからです。

フィチン酸はミネラル（鉄、カルシウム、マグネシウム、亜鉛など）と結合してフィチン酸塩をつくります。フィチン酸と結合したミネラルは水に溶けないため、腸からの吸収が悪くなります。そうすると、**玄米を中心に食べている人は、ほかに副菜をバランスよくとらないと貧血を起こしやすくなるのです。**鉄、カルシウム、マグネシウム、亜鉛などは重要な働きをしていますので、これらの吸収が悪くなることは身体にとって問題です。

玄米が原因で体調を崩した実例をお話ししましょう。二歳の男の子が、急性腸炎による下痢と血便で入院しました。検査をすると、血液中のヘモグロビンが正常の半分くらいにまで減っており、赤血球の材料となる鉄分は極端に低く、貯蔵鉄（フェリチン）もないに等しいほどといわれたそうです。

血便が出たといっても血液が半分になるほどのものではなく、どうしてこんなことになったのか、両親は途方に暮れました。それもそのはずで、両親は玄米菜食を中心とした自然食レストランを経営しており、子どもにも玄米を食べさせ完璧な食事をとっていると思っていたからです。

「玄米を食べつづけてきたことが、血便と貧血の原因ですね」

私がこういうと、両親は信じられないという顔つきでした。

「玄米といっしょに味噌汁や納豆、梅干を食べるようにしていましたか」

「いいえ、子どもは味噌汁と納豆が嫌いで食べませんし、梅干も酸っぱいといって嫌がるので与えませんでした」

「玄米には、身体にとってプラスにもマイナスにもなるフィチン酸が含まれています。

このフィチン酸によって、鉄、カルシウム、マグネシウム、亜鉛など大切なミネラルの吸収が悪くなるばかりか、蛋白質やほかの栄養素の吸収も抑えられていた可能性があります。そのために慢性の貧血状態となって栄養不足になったんでしょう。だから腸炎を起こしたとき、腸の粘膜が簡単に壊れて出血したんだと思います」

これまでも何度か身体に問題を起こしていたようで、玄米こそ最高の主食と信じて疑わなかった母親にとっては今回のことはかなりショックでしたが、原因がわかってホッとしたようでした。

いっぽう、「玄米は身体によい」という根拠はどうでしょう。まず、フィチン酸が有害金属や有害物質を吸着して排泄してくれることです。とくに汚染の進んだ国に住む現代人にとって、解毒は重要です。

また、**玄米に含まれる繊維のバランスがよく、腸内で水分を吸収し、便量を多くして蠕《ぜん》動《どう》運動を促進してくれることです。そのため便通がとてもよくなります。便通がよくなると腸内が浄化され、免疫力や解毒力が高まります。**

玄米を水につけておくと芽が出ます。玄米には生命エネルギーが溢れています。この生命エネルギーをいただくという意味でも、玄米を食べるのはいいのです。

こうした玄米のいい点を残し、悪い点を克服する方法はないのでしょうか。じつは、昔からあったのです。それは、**発酵食品**（味噌、納豆など）**あるいは梅干といっしょに食べることです**。これらに含まれる成分がフィチン酸のミネラルとの結合を解いて吸収をよくするのです。

日本人は江戸時代以前には玄米を中心に食べていました。戦国武士は出陣するさいには、梅干を入れた玄米のおにぎりをもっていったようです。玄米と梅干に含まれる栄養素が力の源泉になったのです。味噌や納豆に、それ自体の栄養分だけでなく、玄米の特徴を生かす成分が含まれていたとは驚きですが、これも古《いにしえ》の人が編み出した生活の知恵なのです。

よく噛《か》んで食べることも、唾液分泌をうながし、吸収をよくするうえで大切です。それに、ヒジキなどの海草や野菜をバランスよくとることも欠かせません。玄米に含まれる農薬については、「玄米を炊《た》く前に、水に浸した玄米に昆布を入れて十二時間おくこと」で解決できます。これらを守って食べれば、玄米は健康によい優れた食品となるでしょう。

二歳の子どもも玄米といっしょに味噌汁を飲んでいれば、まったく問題なく過ごせていたはずです。あるいは、五分づきにして食べていれば栄養素もある程度残り、フィチン酸の問題も解決されるでしょう。

昆布にはカルシウム、マグネシウム、鉄などのミネラル、食物繊維、フコイダンなど身体に有益な栄養分が含まれているだけでなく、有害物を無害なものにする浄化作用もあるようです。

とくに、昆布に含まれるフコイダンには、ガン細胞の自滅、組織再生の促進、免疫バランスの調整、アレルギー反応を抑えるなどの働きがあることが知られています。鍋料理などの出汁として使うだけでなく、積極的に食べるようにしましょう。

◉――牛乳はほんとうに身体にいいの？

「牛乳にはカルシウムがいっぱいあって、骨が丈夫になる。背も伸びる。だから毎日、牛乳を飲みなさい」

子どものころから、こんなふうにいわれてきた人が多いのではないでしょうか。牛乳を飲むとほめられた人もいるでしょう。

「お前はいい子だ、大きくなるぞ」

そして、毎日、牛乳を飲むことが習慣になり、大人になってからも、「骨粗鬆症の予防になる」といわれて、がんばって牛乳を飲みつづけている人が多いと思います。

牛は生後一年くらいで大人なみの体になりますから、牛乳には生体の成長を強力にサポートするだけの栄養素が含まれていることはうなずけます。ただ、その「牛乳の常識」が、私たち日本人にそのままあてはまるかというと、疑問があるのです。

というのは、私は診療の現場で、原因がわからないまま長いあいだ体調不良で苦しんでいた患者さんが、じつは牛乳やチーズ、ヨーグルト、バターなどの乳製品をとりすぎたことが原因の一つだと思われる例を幾度も経験しているからです。

それは乳製品の摂取を中止すると症状が改善したという治療経験にもとづくものです。この私自身の治療経験から、栄養以前の問題として、牛乳がはたして安全な飲み物かどうか疑問を抱くようになったのです。

牛乳であればどれも同じかというと決してそうではなく、乳牛の飼育環境、餌、水が大きく反映されています。食べたもの、飲んだ水が、血となり肉となるのは、人間も牛も同じです。女性が妊娠すると口にするものには細心の注意を払います。それが胎児に影響し、母乳に大きく反映されるからです。

広大な牧場で、自然に生えている草を食べ、自然の水を飲むことが理想です。しかし、現実的に考えると、いまの日本で、そんな理想的な環境で牛を飼育することは難しいのではないでしょうか。

私の医院の近くにあるスーパーマーケットやコンビニエンスストアで買い集めた一三種類の牛乳について波動的共鳴法で調べたところ、ある種のウイルスや細菌の反応がみられました。波動的共鳴法は、ウイルスや細菌そのものを同定する方法ではなく、周波数的に推測するものです。

誤解のないように注意しておきますが、ウイルスが存在するからといって、症状が出るというものではありません。疲れていたり、ストレスがたまっていたりすると、免疫力が低下し、症状が出やすくなります。ですから、ストレスもなく、健康体であれば、すこしくらいとっても影響はないともいえます。

日本人のおよそ六〇パーセントの人は乳糖不耐症といって、牛乳を飲むとお腹がゴロゴロしたり、下痢や軟便になったりします。

日本では、子どもが生まれると、一歳までは母乳で育ち、それから離乳食になっていくのが一般的です。そのため、母乳の約七パーセント、牛乳の約四・五パーセントに含まれる乳糖を分解するラクターゼという消化酵素が、一歳を過ぎるころから徐々に少なくなり、代わってでんぷんを分解するアミラーゼがふえてきます。これは生理的な変化です。

それに対し、乾燥地や寒冷地に住む人たちは、海や山の幸に恵まれない分、牛や山羊を育てて生活するなかでミルクを飲み、余ったものはバターやチーズにして保存する知恵を生み出し、生活の糧としてきました。それで、乳糖を分解する酵素を生涯必要とする身体になったのです。

長い歳月をかけて、身体が乳製品に順応するようになったと考えられます。こうした民族的な違いも考慮する必要があります。

日本では、豊富な海の幸や山の幸を生かし、カルシウムは海草や小魚、ゴマ、緑色野菜から摂取してきました。医療の進歩もさることながら、和食こそが世界最長寿国を維持している大きな要因であることを忘れてはなりません。

骨を丈夫にするには、カルシウムだけが重要視されがちですが、マグネシウム、亜鉛、マンガン、ケイ素、ビタミンB群、ビタミンC、D、Kなどを含む食品（海草類、魚介類、ゴマ、胚芽、大豆、納豆、緑黄野菜など）を摂取することも大切です。このなかにはカルシウムも含まれています。

●――電磁波が若者の身体を蝕んでいる

パソコンや携帯電話の利便性には測り知れないものがあります。使い慣れたものにとって、それらがない生活は考えられません。それは十分認めつつも、健康という立場からすると、それらがもつマイナス面である電磁波の問題が打ち消されようとしているのが心配です。

化学物質過敏症については第4章で述べますが、電磁波過敏症もこれからふえてくることが危惧されます。花粉症やアレルギー性の皮膚炎などアレルギーにともなう症状で驚くほどたくさんの方が困っておられますが、化学物質・電磁波過敏症も一連の問題として認識したほうがよさそうです。

若い女性が不眠、イライラ、頭痛、倦怠感《けんたい》などを訴えて来院されることがよくあります。年齢に似合わずハツラツさがなく、ボーッとして焦点の定まらない目をしています。聞くと、目も疲れやすく、肩も凝《こ》っているとのことです。

これは、携帯電話の使いすぎによる典型的な症状です。公害病といってもいいのではないでしょうか。

昨今、家に閉じこもってパソコン、テレビゲーム、携帯電話によるメールのやりとりが多くなっています。これから電磁波によって、どれほどの若者が蝕まれていくのか、とても心配です。

①肩が凝る
②頭痛やめまいがする
③疲れがとれない
④眠りが浅い
⑤筋肉や関節が痛い
⑥視力が低下
⑦記憶力が低下

⑧発作的に動悸がする
⑨目が疲れやすい
⑩集中できない、だるい
これらの症状に心あたりのある人は、使用時間をかなり減らす、電磁波の影響を少なくするグッズを使用するなどの対策をとってください。

電磁波の身体に対する影響として、電磁波は水分子に異常振動を起こさせ、それが細胞内液に異常振動として伝わり、DNAの情報伝達に狂いが生じる可能性があります。また、脳内ホルモンと呼ばれるメラトニン、セロトニン、ドーパミンなどのバランスを崩す可能性についても指摘されています。

つまり、電磁波は脳内ホルモンの働きを阻害し、遺伝子を傷つけ、変異させる疑いがあるというわけです。ラットを使った実験では、電磁波によって脳を保護する役割をもつ血液脳関門が開き、有害物質が脳に浸透しやすくなるという結果も出ています。

汚染が人間の脳にまで広がると、どういう結果になるのでしょうか。恐ろしいことですが、すでにそれは始まっていると考えていいでしょう。国際ガン研究機関は電磁波と発ガンの関連を示唆していますし、国立環境研究所では、電磁波がメラトニンのガン抑制作用を阻害すると報告しています。

このほか、スウェーデンのカロリンスカ研究所が、送電線の近くに住む住民五〇万人を対象に疫学調査を行なった結果、小児白血病の発生率がほかの場所よりも平均三・八倍も高いことを発表しています。

これを受けてスウェーデンでは、小学校や幼稚園などの周辺にある送電線を撤去し、施設も移転したようです。

ガンができているところには、しばしば電磁波の影響があることは、バイ・デジタル・オーリング学会でも発表されています。就寝中に電磁波による刺激を受けつづけると、細胞の変性が起こりやすくなって当然です。

電磁波の問題について、科学的データにもとづく議論を喚起することも大切ですが、健康にマイナスかどうかは、SMRテストをしてみればすぐにわかります。健康にマイナスかプラスかを判断できるという点では、簡単でありながらもっとも鋭敏な方法です。それによると、はっきりマイナスの反応が出ます。

電磁波の影響は今後、ふえこそすれ、減ることはないでしょう。公害の一つととらえ、その危険性をしっかりと認識していただきたいと思います。以前、アスベストのことが話題になっていました。かつては安全で安くて丈夫な断熱材として学校、公共施設などに使われてきました。

いっぽうで、アスベストの吸引によって中皮腫という悪性の病気が発生することは、何年も前から指摘されてきたことです。しかし、建物の一部に使われたものはそのままになっていました。

新聞紙上で話題になると、途端に多くの人が敏感になり混乱します。〝転ばぬ先の杖〟として、健康にマイナスになるものは最小限の使用に抑えておくのが無難です。それでなくても、私たちの身のまわりには危険性を孕《はら》んだものがたくさんあるのですから。

データで証明されていないから大丈夫と考えずに、自分の感性で確かめてみることをどうか忘れないでください。

◉——原因不明の病気は、まずヘルペスウイルスを疑ってみよう

人間の身体には、細菌や真菌だけではなく、たくさんのウイルスが棲みついています。

ふだんは大人しくしているのですが、体調が悪くなると表に出てきます。そして、単独で痛みなどの症状を起こすこともあるし、いくつかのウイルスがいっしょになって多様な症状を起こすこともあります。

ウイルスの大きさはわずか二〇〜三〇〇ナノメートル（ナノは一〇億分の一）と非常に小さく、顕微鏡でみることもできないほどです。そんな小さな微生物に、私たちの身体は簡単に苦しめられてしまうのです。しかも、ウイルスは通常の検査では発見できないことが多いので、診断および治療が遅れることも多々あります。

ウイルスのなかでも臨床現場でもっともよくみられるのは、ヘルペス系のウイルスです。ヘルペスとは、ギリシア語で「這《は》う」という意味です。その名は、忍者のように身を隠して這うようにして広がることに由来しています。

ヘルペスウイルス（ＨＶ）は、一度感染すると生涯にわたり感染が持続するので厄介です。そのために何度となく苦しめられます。ＨＶは、動物を併せると一〇〇種類以上が同定されているようですが、人を自然宿主とするＨＶは八種類あります。それぞれの特徴について、簡単に説明しておきましょう。

●HVタイプⅠ

口内炎や顔面神経痛の原因になったり、風邪を引いたときなどに口唇に水泡ができたりします。いわゆる「熱の花」として知られているものです。しばしば、背中や肩、腰の痛み、手のしびれなどの原因になります。

精神的にイライラしているときに起こりやすいことから、私はちょっと冗談めかして、「イライラ菌に感染していますね」などといったりします。すると多くの人は心あたりがあるのか、笑ってうなずかれます。

●HVタイプⅡ

腰椎周囲の神経節に潜んでいて、生殖器などに感染を起こしたり、腰痛・背部痛・上下肢のしびれの原因になったりします。お産のときに産道で感染することが多いのが特徴です。大半の人は潜在感染状態にあり、体調を崩したときなどに、さまざまな症状の原因となります。

●HVタイプⅢ

子どもが罹患する水疱瘡は、このヘルペスによるものです。大人になってかかる帯状疱疹も同じです。神経節の細胞に潜んで、免疫力が低下したときなどに、神経に沿って帯状に水疱ができます。痛みが非常に強く、夜眠れないほどです。

●ＨＶタイプⅣ

別名ＥＢ（エプスタイン‐バー）ウイルスともいいます。伝染性単核球症（おもに口から感染するのでキッス病とも呼ばれる）の原因になるウイルスです。高熱とともに首のリンパ腺が腫れ、肝臓、脾臓が障害されますが、多くは比較的短期間で治ります。

●ＨＶタイプⅤ

サイトロメガロウイルスとして、多くの病気に絡んでいます。心身ともに健康なときには影響ないのですが、疲労やストレスがたまって免疫力が低下しているときに一気に広がり、多様な症状を起こします。慢性疲労症候群の原因の一つとしても知られています。疲れやすい、根気がない、集中力がない、痛み、しびれなどの症状が出ます。

●ＨＶタイプⅥ、Ⅶ

子どもの突発性発疹の原因として知られています。突然、高熱が出て三日ほど続き、熱が下がるとともに全身に発疹が出る病気です。

●ＨＶタイプⅧ

カポジ肉腫関連ヘルペスとして知られています。

ＨＶは多くの病気に絡んで多様な症状を引き起こすことを知っていただきたいと思います。手足がしびれる、身体がだるい、疲れやすい、肩や腰が痛い、動悸がする、お腹が張って痛い……どれもありふれた症状です。それが長く続き、治療してもなかなか治らないとき、ＨＶの感染を疑ってみる必要があります。

治療は、まずストレスを解消すること。そして治療としては、青魚のエキスとして知られるＥＰＡ・ＤＨＡ（ＥＰＡはエイコサペンタエン酸、ＤＨＡはドコサヘキサエン酸と呼ばれる不飽和脂肪酸）や漢方薬、堀田式野菜スープなどが有効です。

◉――寄生虫とガンは密接な関係がある

寄生虫がガンに関係しているなんて考えられない――多くの方は、そう思われるでしょう。無理もありません。寄生虫はすでに〝過去のもの〟として、病院でもその存在は一部の寄生虫を除いて忘れ去られているのですから。

しかし、現実に多くのガンと寄生虫は密接に関係しています。私もこのことをはじめて知ったとき、大きな衝撃を受けました。カナダの生理学者であるハルダ・R・クラーク博士が著した『ハーブでガンの完全治癒』という本に、わが目を疑うような下りが書かれているのを読んだときです。

そこには次のように書かれていました。

「ガンはすべてある寄生虫が引き起こすのです。それは人体の腸内に寄生する吸虫です。そしてもし、この吸虫を駆除できれば、ガンは即座にストップできるのです。ガンになった組織は再び正常な組織に戻ります」

さらに、

「ある人がガンになるときには、寄生虫とプロピルアルコールの両方を体内に持っているはずです」

とも書かれていました。

にわかには信じがたい内容でしたが、私はさっそくクラーク博士の指摘するファシオロプシス・ブスキー（肥大吸虫）と、オルトリン酸チロシン（腫瘍因子）、プロピルアルコールのサンプルを手に入れて調べてみました。

すると、これまでに手術したガン二五例の切片ではすべてに、また通院中の患者さんでも、ガンの部位で高頻度に、これらのサンプルとの共鳴反応がみられたのです。つまり、ガンと肥大吸虫、オルトリン酸チロシン、プロピルアルコールとのあいだには密接な関連があるということです。

その後、いろいろと調べた結果、ガンを患っている患者さんには、肥大吸虫以外にいくつかの寄生虫の反応が高頻度にみられます。

国際色彩診断治療研究会の加島春来《はるき》会長が開発した寄生虫用の探索棒を使って調べてみると、ガンと診断され治療されていない例では、肥大吸虫、トキソプラズマ、旋毛虫、ニューモシスチス・カリニ（原虫）が高頻度にみられ、リーシュマニア、サイクロスポーラ、ウエステルマン肺吸虫、肝毛細虫、肝多胞虫、肝吸虫などもよくみられます。

手術によって切除されたガンの組織切片をみてみると、種類を問わず何種類もの寄生虫の反応がみられますが、正常の組織では肝臓を除いてほとんどみられません。

いっぽう、治療によって経過のよい例では、寄生虫の反応が消えているか少ない場合が多く、経過の悪い例では寄生虫の反応が多くみられ、かつ種類も多くなっています。また、通院中の方でガンを発症していない例では、寄生虫の反応はごくわずかしかみられませんでした。

このように、ガンと寄生虫は密接な関係があるといえます。

◉寄生虫は肉や魚介類、生野菜から侵入する

ハルダ・R・クラーク博士は、肥大吸虫がガンの原因と主張していますが、私は肥大吸虫が直接の原因ではなく、ガンは別の原因でできると考えています。ただ、ガン細胞ができたところに肥大吸虫および成長段階の幼虫が存在すると、その分泌液（毒素）によって、ガン細胞内でオルトリン酸チロシンが産生され、その刺激によってガン細胞の分裂が促進されるのではないか、と考えています。

いずれにしても、この肥大吸虫およびそのほかの寄生虫も駆除しておかなければなりません。肥大吸虫は分泌される毒素が問題ですが、そのほかの寄生虫はその存在が生体の免疫力を分散、消耗させることになると推測されるからです。

京都府立医科大学の吉田幸雄元教授の著書『図説　人体寄生虫学』（南山堂）には、

「肥大吸虫は日本には分布していない」

とあります。

しかし、ボーダーレスの現代では、知らないうちに他国の病原菌が食用肉やペットなどとともに〝輸入〟されていることは十分考えられます。それに、野菜の肥料に牛糞《ぎゅうふん》がよく使われることから、それが乾燥して空中に舞い上がり、含まれていた卵が風に乗ってほかへ移動し、野菜に付着することもあるでしょう。

私が調べたところ、レタス、キャベツ、パセリなど、葉が複雑に入り組んで重なっている野菜では、高い確率で肥大吸虫の反応がみられました。

ともあれ、この肥大吸虫が腸内に入ると、健康なときは問題がないのですが、なにか障害が起きて腸粘膜が傷つくと、粘膜から血管に入り肝臓に運ばれてしまいます。肥大吸虫は卵巣と精巣がいっしょになっていて、一回に一〇〇〇個の卵を産むのですから瞬く間にふえます。

これを駆除するには、ハーブ（クルミ液、ニガヨモギ、クローブ）、**堀田式野菜スープ、漢方などを使います。**

また、寄生虫の増殖をうながすイソプロピルアルコールなどの化学物質を摂取しないことも大切です。イソプロピルアルコールは、食べ物、飲み物を入れる缶やビンの消毒によく使われていますし、化粧品のなかに含まれていることもあります。

寄生虫が体内に入るルートとしては、生野菜以外に魚介類、肉類が考えられます。**寄生虫の体内への侵入を防ぐ方法としては、野菜は酢水に浸けてから食べる**（後述）、**魚介類、肉類は十分加熱する、魚介類を刺身で食べるときは生わさびを使うことです。**

わさびは、日本の食文化には欠かせないもので飛鳥時代から利用され、薬草としても用いられてきました。いまでは、わさびには、抗菌、抗寄生虫、血栓予防のほか、抗酸化作用などの効能があることがわかっています。わさびに含まれるスルフィニルには、抗酸化力をもつ物質の一つであるＧＳＴ（グルタチオン-S-トランスフェラーゼ）を活性化することで若返りの効果もあるようです。刺身だけでなく、さまざまな料理に使いたい食材です。

インドでは、食後にチャイがよく飲まれます。チャイは、紅茶に砂糖とミルク、スパイスを入れて煮立てたものです。スパイスには、たんに美味というだけでなく、腸内の病原菌を駆除するという役割もあるのでしょう。

身体の汚染、電磁波、寄生虫などへの対策は、現代社会に生きる私たちにとって無視できない重要な問題で、元気になる大切な知恵の一つです。

第3章
食と水を変えれば身体はよくなる

◉有害物質を解毒する酢と昆布の使い方

すでに述べたように、私たちは知らず知らずのうちに、有害物質を体内に取り込んでしまっています。健康を保つには、侵入を未然に防ぐための努力と、取り込んでしまった有害物質を早く解毒《げどく》することを考えなければなりません。

そこで、身体を汚染から守るためのとっておきの方法を紹介しましょう。最初に考えるべきことは、食べる機会がもっとも多い米と野菜に含まれる農薬を除去することです。それは、日常よく使われる純米酢と海の幸の一つ昆布を使う簡単な方法です。

具体的な方法を列記しましょう。

①葉もの野菜（パセリ、青ジソ、レタス、キャベツ、ホウレンソウなど）

酢水（水一リットルに対し、純米酢およそ一〇ミリリットルを混ぜたもの）に調理前の野菜を二十分間浸けておきます。これで殺虫剤や除草剤、寄生虫の反応が消えます。あとはふだんどおり洗って料理します。

②根菜類（ジャガイモ、レンコン、ゴボウ、ニンジン、ダイコンなど）

昆布（五センチ角）を入れた水に、皮をむいた野菜を入れて五分程度ボイルします。有害物質が煮汁のなかに溶け出すので、煮汁は捨て、野菜は軽く洗って料理します。

③玄米

昆布（五センチ角）を入れた水に十二時間浸けます。そのあと水を捨て、一、二度洗って炊きます。糠の部分に含まれる農薬も除去できます。

④白米

研いだ米を昆布（五センチ角）とともに九十分間水に浸けます。そのあと水を捨て、新しく適量の水（すでに水を含んでいるので三割減）を加えて炊きます。

農薬（殺虫剤、除草剤）は、肝臓＝胆嚢経、腎臓＝膀胱経、胸腺の働きを弱めます。さらに、交感神経の緊張を起こし、アレルギー、視力低下、難聴、生理痛などの原因にもなります。肉体的な害ばかりでなく、抑うつ、心配・不安など精神的にも影響しますから、「面倒だ」などといわずに、できるだけ実践していただきたいと思います。

習慣にしてしまえば、わずらわしさもそんなに感じなくなるものです。ほんのすこしの手間を惜しんで健康を損ねたのでは、あとあと悔いが残ります。こうした日常的なことに気を配るか否かで、健康状態はうんと違ってくるのです。

簡単でおいしい最強の堀田式野菜スープ

次にすることは、摂取してしまった有害金属・化学物質の解毒です。私が開発したオリジナルの堀田式野菜スープがおすすめです。どこにでもある野菜で簡単につくれますし、味もいいときています。有害金属・化学物質の排出だけでなく、寄生虫、ヘルペスウイルスなどのウイルスに効果的で、抗ガン効果、免疫力増強効果もある程度期待できます。

レシピを紹介しましょう。

〈材料〉

①ゴボウ　四〇グラム／生姜　二〇グラム／タマネギの皮　二分の一個分
②長いも　六〇グラム／マイタケ　ひと握りの半分
③レンコン　一〇〇グラム／パセリ　ひと握り分
④ニンジン　九〇グラム／自然塩　小さじ二分の一
⑤ゴマ油

＜作り方＞

タマネギの皮とパセリは酢水に浸けてから使用します。そのほかの野菜の皮をむいて適当な大きさに切っておきます。鍋に水約二リットルを入れて沸騰させたら、野菜そのほかを順番どおりに入れていきます。

①の野菜（三種類）を入れ、三分待つ
②の野菜（二種類）を入れ、一分待つ
③の野菜（二種類）を入れ、一分待つ
④のニンジンと自然塩を入れ、五十分間トロ火で煮る
⑤火をとめたあと、飲む前に、ほんのすこしだけゴマ油を入れる

コップ半分から一杯程度を一日に二～三回に分けて、食前または食間に飲みましょう。残った具は、タマネギの皮だけ捨てて、ほかの料理に利用したり、ミキサーにかけて飲んだりしてください。

材料はどれも身近にあるものばかりです。野菜は有機栽培で無農薬のものが理想ですが、こだわることよりも続けることが大切です。一般のスーパーでそろえた野菜でつくってもきわめて効果的です。

私は最初、有害金属や化学物質を排泄させる目的でこのスープを開発したのですが、そのあと、寄生虫とヘルペスウイルスを駆除する目的で、野菜を追加しました。そうして、**現代人の健康を蝕む三大悪ともいうべき、有害金属・化学物質、寄生虫、ウイルスを排泄するのに効果的な堀田式野菜スープができあがった**のです。

ありふれた食材を使ったこのスープの効果を確かめながら、私は、「自然とはじつに偉大なものだ」とつくづく教えられたのでした。私たちは自然がつくった素材をもとに、生活に便利なものから化学薬品まで、さまざまなものをつくります。ところが、それによって健康が損なわれたとき、癒してくれるのは自然の素材がいちばんだ、ということに気づかされたのです。

●――驚くべき威力をもつ山椒の葉

日常よく飲んだり食べたりするもので、すこし気をつけるだけで、安全においしく食べられる知恵をいくつか紹介しましょう。

緑茶、麦茶、紅茶などの茶葉には、表面に農薬がついているものがあります。そのまま飲むと身体によくないだけでなく、化学物質特有の刺激的な味がしておいしくありません。

まず最初に、ぬるま湯を入れて、軽くゆすりながら二十〜三十秒待ちます。こうすることで、表面についた農薬がとれます。ぬるま湯を捨てたら、かわりに熱いお湯を入れます。

こうすると、まるで違った味になり、安全なものになります。一度、自然のお茶を味わっておくと、農薬の入っているものはすぐにわかります。

イリコやジャコなどにも酸化防止剤が使われていることがあります。お湯で表面についた化学薬品を流し去ってから使いましょう。

炒めもの、揚げものに使う植物油には、抽出に使われるヘキサンという化学物質が含まれています。また、油は加熱すると酸化して体によくありませんが、昆布を適当な大きさに切って油のなかに入れ、そのまま加熱して、揚げもの、炒めものをすれば、ある程度防ぐことができます。加熱する場合は、酸化しにくいオリーブ油がおすすめです。

一〇〇パーセントが売りのくだものジュースや野菜ジュースは一見よさそうですが、調べてみると、殺虫剤や除草剤の反応があります。これには山椒《さんしょ》の葉が有効です。数枚入れてかき混ぜるだけで、安全になります。

山椒の葉は、自動販売機の各種飲み物、コーヒー、スープ、お酒など、さまざまな飲み物に適用できます。小さな山椒の葉に驚くべき効果が秘められているのです。

●何をどう食べたらいいのか

身体は食事から摂取した栄養分と水を材料にして、日々、新陳代謝をくりかえし、新たな身体につくりかえられています。身体は一日として同じではありません。ですから、食事のバランスが崩れると、身体のバランスも崩れます。「栄養のバランスを考えて食事をしましょう」といわれるのは、そのためです。

そこで、食事のバランスに関して、確認しておきたいことを簡単にまとめておきます。

●歯の配列が教えること

食事のバランスとなんの関係があるのかと思われるかもしれませんが、大ありです。人によって多少の違いはあるようですが、知歯《ちし》（親知らず）を除いて歯は二八本あります。内十六本が臼歯《きゅうし》で、八本が門歯、四本が犬歯《けんし》です。そのようにできていることに大きな意味があるのです。

これは、おもにどの歯で噛《か》むのが適しているかを考えてみれば納得できます。穀物は臼歯、野菜は門歯、肉類は犬歯です。となれば、この割合がそのまま、食べ物の理想的なバランスだといえます。

歯の配列から考えると、肉類一に対して、野菜は二、穀物は四の割合で摂ることが、人間としての生理的機能を維持するのに合っているということです。むろん、成長期の子どもの場合は、肉の割合は大人よりも多くてよいと思います。

日本人は長年、米を主食とし、脂肪や蛋白質は不足しがちでした。ところが現在では、動物性脂肪と蛋白質の割合がかなりふえ、その分、炭水化物が減っています。肉の割合が六～七割を占めるハンバーガーはその典型です。

人間の身体は、たとえようのないほど精密かつ機能的につくられています。それを十分に理解してうまく使えば計り知れない力を発揮しますが、粗末に扱うと簡単に壊れてしまいます。

両方の歯でよく嚙むことも大切です。嚙めば嚙むほど唾液の分泌もふえ、胃腸の負担が軽くなるだけでなく、脳が刺激されて、若さが保てます。**病気がちだった人が、六十歳を過ぎてからよく嚙むことを実践した結果、九十歳を過ぎたいまも元気に暮らしています。**

ところで、バランスの崩れた食事をすると、身体にどんな異変が起こるでしょうか。すぐに現われる変化は、排泄物の強い異臭です。「便やガスが臭いのは当たり前じゃないの」と思われるかもしれませんが、じつは違うのです。

排泄物の異臭が強い場合は、腐敗菌がふえている証拠です。身体に有益な菌が大半を占める状態では、ほとんど異臭はしません。この状態だと、身体はおおむね健康状態にあるといえますが、異臭の程度が強いと、遅かれ早かれ身体に変調をきたすことになります。

腸内には、有益な菌（乳酸菌のような善玉菌）と、有害な菌（ウエルシュ菌などの悪玉菌）、それに日和見《ひよりみ》菌（悪玉菌がふえるといっしょになって悪さをする）など、たくさんの細菌が棲んでいます。有益な菌が多い状態では、消化吸収がよくなり、感染防御の力が高まり、免疫力も強化されます。

いっぽう、有害な菌がふえると、有毒ガスを発生させ、腸粘膜を傷つけ、発ガン物質などが生成されて腸粘膜より体内に取り込まれます。有害な菌がふえることは、大腸ポリープ、大腸ガン、潰瘍性大腸炎などの発生土壌となります。

したがって、排泄物に異臭がしたら要注意と心得ておきましょう。すぐに食事のバランスを点検して、改善することが大切です。腸内細菌叢《そう》（腸内で細菌が群生している部分）をよくするものとして、乳酸菌生成エキスなども有効です。ちなみに私は、患者さんには『アルベックス』をおすすめしています。

●陰と陽

中国では古来より、「すべての物象は、陰・陽の対立と統一によって成り立つ」という考え方があります。つまり、すべての事象は陰と陽に分けることができ、互いに対立しながらも依存し合って、調和を保つ関係にあるということです。

身体においても、陰・陽のバランスが保たれるようになっています。たとえば、自律神経は、陽の交感神経と陰の副交感神経が拮抗して生体機能の恒常性を保っているのです。このバランスが崩れると病気になるわけですが、陰が多すぎるときには陽を足す治療をして、バランスを回復させます。

遠心的な力をもつ陰の食べ物には、身体を弛緩させる、上昇・拡散・分裂のエネルギーがあります。砂糖、菓子類、くだもの、油、ジュース、アルコールなどは、陰性の強い食べ物です。

他方、求心的な力の象徴である陽の食べ物は、身体を引き締める、下降・収縮・集中のエネルギーを有します。肉、魚、卵、チーズ、塩などが代表例です。

このほか、極端に陰でも陽でもない食べ物もあります。それは中庸と称され、玄米、雑穀、キャベツ、タマネギ、ハクサイ、ダイコン、ニンジン、海草類、小豆、大豆などがあります。

陰または陽のどちらかの性質が強い食べ物を摂りすぎると、身体はいずれかに傾き、バランスを崩します。ですから、「できるだけ中庸の食べ物をたくさん摂って、陰または陽の強いものはほどほどにしましょう」というのが、陰陽のバランスを指標とする食事のバランスです。

この考えをもとに、体系的に構築された食事療法に「マクロビオティック」と呼ばれるものがあります。くわしくは『マクロビオティック入門』（久司道夫著、小社刊）を参考にしてください。

陰陽のバランスからみても、玄米や雑穀、野菜など、中庸の食品をふんだんに使い、脂っこい料理や肉料理の少ない和食は、じつに優れた食事といえるのではないでしょうか。

●一口残す

「一口残す」とか「腹八分目」といった言葉は、食べすぎの害を戒める養生訓です。食べたものは、胃や十二指腸、膵臓、胆嚢などから分泌される消化酵素の働きで分解され、吸収しやすい状態で小腸に送られます。余分に摂れば、身体はそれを脂肪として貯えるか、排泄するほかありません。

いずれにせよ、消化酵素とエネルギーをムダに消費することになります。それが続くと、代謝に必要な酵素が不足します。つまり、代謝機能が低下し、身体は衰弱へと傾きます。代謝は生命活動そのものです。これを改善するには、食べすぎないようにすると同時に、酵素の含まれているものを摂取して、必要なミネラルを補給することです。

自然のものには酵素が含まれていますが、加熱すると大半が破壊されます。加熱調理した料理ばかりでなく、生の緑黄野菜を多くし、それに納豆・味噌などの発酵食品を取り入れるとよいでしょう。

東京医科歯科大学の湯浅保仁教授らの研究によると、**満足するまで食べる習慣の男性は、ガン化を抑える遺伝子（Cdx2）の働きが低下していることが多く、逆に、キャベツやブロッコリーなどを多く食べたり、緑茶を多く飲んだりする男性は低下している割合が少ないそうです。**

腹八分目にして、よく噛むという昔からの言い伝えは、ガンを防ぐという点においても理に適っているわけです。

●食べたいものを食べる

「食事は、お腹がすいたときに身体がほしがるものを食べ、嫌がるものは食べない」というのが基本です。

身体は直観的に、必要なものを敏感に嗅ぎ分け、それを摂取しようとします。野生の動物がミネラルを含んだ土を見分けて食べるのと同じです。

すこし敏感になると、天然の魚か養殖魚かは一口食べただけでわかりますし、焼き魚は臭いでわかります。養殖魚は化学物質特有の臭いがすることがあり、食欲がなくなります。

ときに、みなさんもさしたる理由もなく、

「いま、サラダが食べたい」

「甘党ではないのに、なぜか甘いものがほしい」

「脂っこい料理はどうも……。さっぱりしたものが食べたい」

と感じた経験があるだろうと思います。

なにかを食べたい気分や、食べたくない気分を感じているはずです。その気分を大事にしたほうがいいのです。それは、無意識のうちに身体を守るためのメッセージをキャッチしているからです。とくに、いやな感じがしたときなどは、その感覚に従ったほうが無難です。

たとえば、

――レストランなどで、出てきた料理を前に急に食欲を失くしたとき
――自分で料理をしているさなかになんとなく食材に不安を覚えたとき
――周囲の人はおいしいというし、料理もおいしそうにみえるが、なんとなく箸をつける気持ちが起こらないとき
――一口食べて、一瞬おかしいと感じたとき

こんな感じがしたら要注意です。

それは、自分にとって有害なものが含まれていることが多いからです。そんな胸のざわつきを封印して、「まあ、いいか」「残すのはもったいないから」と食べてしまうと、後悔することになりかねません。

私も、インドで苦い体験をしたことがあります。ある町で屋台のような小さな店に入ったときのことです。出されたスープがおかしいと感じていました。でも、めずらしいのとお腹が空いているのとで、その感覚を無視してすこし口にしたのです。するど、舌先にツンとした妙な味がしてやっぱり変だと思ったのですが、周りを気にして吐き出せなかったのです。おかげで、その夜は下痢、腹痛、冷や汗の連続でした。それ以来、「一瞬の感覚を大切にする」ことを守っています。ただ、食品について危険を列挙すると、

「食べるものがないじゃないか」

「あれもダメ、これもダメでは神経が参ってしまう」

といった声が聞こえてきそうです。

でも、知っているのと知らないのとでは、健康面で雲泥の差があることを知っておいてください。よく知ったうえで、こだわらないようにすればいいのです。食べたいものを食べ、楽しいひと時を過ごす、これが人生の楽しみでもあり喜びです。

こだわりは、生命エネルギーの流れを悪くします。気持ちの持ち方ひとつで、影響を受けたり、受けなくなったりもします。天地の恵み、料理してくれた人に感謝し、楽し

くいただきましょう。

ただ、ストレスがたまって交感神経が緊張している状態にあると、無意識のうちに食べてしまいます。それは食べることによって消化管が刺激され、副交感神経が刺激されて自律神経のバランスが整うからです。

その意味で、**食べすぎる傾向のある人は、心のバランスを整える方策を自分なりに考えることが大切でしょう。**

生き物が棲めない川がもたらすもの

食べ物について話を進めてきましたが、同じように、あるいはもっと大切なものとして考えなければならないのが水です。水の大切さは、食べ物がなくても何日かは生きられても、水なしでは生きられないことからもわかります。

私たちの家庭に届いている水道水の水源は、大半が川の水です。かつて田舎の川には無数の魚や生き物が生息していました。田舎で育った私は、夏休みといえば、それこそ朝から晩まで川にいて、泳いだり魚を追いかけたりしたものです。さまざまな生き物や魚を眺めるのは、とても楽しいもので、いまから思うと自然の生き物から元気をもらっていたようです。

ところが最近、川に入っても生き物の姿はほとんどみられません。泳いでいるのは、わずかに生き残ったメダカくらいで寂しいかぎりです。生き物のいない川に入ると、一瞬、ゾーッとします。まさに死の川なのです。

農薬や洗剤などによって、魚だけでなく、石や岩に生える苔までもやられて不気味さが漂っています。それが水道水となり、海に流れ込むのですから、私たちにその影響がおよんでこないはずがありません。水は生命の根源であり、生き物のいない川の水がいかなるものか考えると、暗澹《あんたん》たる気持ちになります。

「日本の水は安全だ。化学物質が混じっているといっても、人体に害を与えない、ほんの微量にすぎない」

と説明されても、安全かどうかの疑いを拭い去ることはできません。

事実、水道水の入ったコップを手にもってＳＭＲテストをしてみると、指の筋力が弱くなるのです。

虫や魚を殺し、雑草を枯らすような化学物質がわずかでも混じった水は、身体が拒否反応を起こして当然です。ガソリンよりも高い水が売れているのも、そのことを如実に物語っているのではないでしょうか。

◉水の質が健康を決める

健康は、身体を構成する一つひとつの細胞内で、代謝が円滑に行なわれてこそ維持されます。代謝とは、呼吸によって摂り入れた酸素と、食物として摂取された栄養分を、水、ミネラル、酵素の働きによってエネルギーや必要な物質に変え、老廃物を排泄する生命の営みです。

その代謝にもっとも影響するのが水です。水なしには代謝は起こりえませんし、生命の維持そのものが危うくなります。血液は、血球成分（酸素を運ぶ赤血球、免疫担当の白血球、リンパ球、凝固にかかわる血小板など）と血漿（栄養素を運ぶ）から成りますが、その七〇～八〇パーセントは水です。

さらに、水は体温調節、体液の調節（身体を弱アルカリに保つ）にも不可欠です。すべての細胞はたえず新しい細胞につくりかえられていますが、その素になるのが食べ物と水です。

そこに、本来あってはならない有害物が含まれていると、不自然な細胞がつくられ、アレルギーをはじめさまざまな病の基になります。

脳は脊髄液、胎児は羊水、どちらも水を主成分とする液体のなかに浮かんだ状態にあります。このことからも、水が脳の働き、胎児の健康を大きく左右するであろうことは容易に想像できます。

水の質が健康を決めるともいえるわけで、どれほど健康にいい食品やサプリメントを心がけたところで、水が悪いと長く健康を維持することは難しいでしょう。逆に、身体に活力を生み、病を回復させる力を秘めているのも水であり、「水は最古の薬」といわれるのもうなずけます。

いま、いじめの問題が大きくクローズアップされています。いろいろ議論されているなかで、食事の問題が抜けているように思います。

「健全なる精神は、健全なる肉体に宿る」とは、ローマの詩人ユウェナリスの言葉ですが、健全なる肉体は食と水にかかっているといっても過言ではありません。汚染された食材と水とによって不自然な身体ができ、それが他人をいじめるような不自然な心をつくるのではないでしょうか。

汚染の少ない食材と自然に近い水とで調理された料理をバランスよく食べることが、健康な身体をつくり、思いやりのある健全な心をつくります。ここで、「自然に近い水」というのは、人里離れた山中にある天然の湧き水のような、有害金属や化学物質が含まれていない水のことです。

ですから私は、日々の診療では必ず、患者さんの体内に水銀、鉛、アルミニウム、カドミウム、ヒ素、ニッケルなどの有害金属や、農薬および環境ホルモンなどの化学物質が蓄積していないかどうかを調べています。

もし、これらの蓄積が推測される場合は、まず家庭で料理に使っている水をチェックすることにしています。自然に近い水を飲むことは、健康にとって非常に大切です。原因のわからない病気やパニック障害、うつ病などの心の病にも、まず水を換えることをおすすめしています。

◉——水道水のシャワーを浴びた皮膚は悲鳴をあげている

私たちが使っている水は、おもに海から蒸発し、雨や雪となって地上にもどってくるというサイクルをくりかえしています。そのサイクルのなかでもっともきれいな水は、蒸発したばかりの水です。

しかし、雨などになってもどってくるときには、大気中の汚染物質が溶け込んで酸性雨となり、また地上に落ちれば、田畑で使われる除草剤、殺虫剤、化学肥料などが溶けて流れ込みます。そのうえ、工場廃水や生活排水だけでなくさまざまな病原菌によって汚染されたりします。

飲料水が病原菌によって汚染されると、たちまち多くの犠牲者が出ることになりますから「安全な水」にするために、低コストで殺菌効果の高い塩素が使われます。

そのおかげで浄水場から家庭の蛇口まで殺菌状態が維持され、コレラ、赤痢、腸チフス、パラチフスなどの感染症が激減したことも事実です。

しかし他方で、

①食べ物に含まれるビタミン類を破壊する
②皮膚の細胞を破壊し、シミ・ソバカスなどの原因となる
③体内の有用な微生物であるビフィズス菌などを殺してしまう
④水中で多くのトリハロメタンをつくる

といった多くのデメリットがあり、悪者扱いにもされています。

トリハロメタンとは、クロロホルム、ブロモジクロロメタン、ジブロモクロロメタン、ブロモホルムという四つの物質の総称で、塩素と水中に含まれるさまざまな化学物質が結びついてできるものです。発ガン性、催奇形性（胎児に奇形を引き起こすこと）、中枢神経機能低下、肝臓毒性、腎臓毒性などが認められています。

アトピーの子どもたちにとって、水道の水を浄化しないままでシャワーを浴びることは、傷ついた皮膚がさらに塩素によって破壊され、かゆみが強くなるのでつらいことです。寝ているあいだにかきむしってしまい、皮膚は悲鳴をあげています。

塩素のほかにも問題があります。それは、水に含まれる不純物を除くために、ポリ塩化アルミニウムが凝集剤として使われることです。このアルミニウムの化合物によって、

不純物が固まり沈殿します。

そして、その上澄《うわず》みを利用するわけですが、家庭に届く水道水にはポリ塩化アルミニウムがわずかでも残っているのです。それに多くの世帯で水道管として鉛管が使われており、水道水に鉛が溶け出しています。

飲み水と同じように、お風呂の水も大切です。含まれる化学物質が、全身の皮膚から身体のなかに入ってきます。その意味では、身体が温まるという効能に引かれて、安易に入浴剤を使うのも要注意です。皮膚に接触するものは、確実に体内に取り込まれることを知ってください。

名水にも汚染が進みつつある

京都の伏見に御香宮《ごこうぐう》という、安産の神様で知られる神社があります。平安時代、この境内に大変香りのよい水が湧きでて、この水を飲むと病が治ったので、ときの清和天皇から「御香宮」の名を賜ったという由緒ある神社です。「日本名水百選」にも選ばれました。

伏見という地名は、地下水が豊富にあるという意味の「伏水」に由来します。しかもその水はおいしく、それを使った最高級のお酒がここから誕生し、伏見の酒どころとして現在も受け継がれています。いまでも伏見には、おいしい水が湧き出ているところが何カ所もあります。

私も朝早く起きた折には、歩いて一～二分の距離にある御香宮神社にでかけ、お参りをしたあと、水をいただいて帰り、コーヒーをいれて、気持ちのよいひと時を過ごしています。

ところが、近年になって、その湧き水にも少々汚染が進んでいるように思われます。というのも、水の良し悪しを計る指標の一つである酸化還元電位（ＯＲＰ＝Oxidation Reduction Potential）を計測したところ、思ったより値が高かったからです。ＯＲＰとは、酸化力や還元力がどのくらいあるのかを表わしたもので、単位はミリボルト。現在ある自然の水で、還元力があって身体によいとされているのは、五〇～二〇〇ミリボルトです。

伏見の湧き水を三カ所から採取し、このＯＲＰを計測してみたところ、それよりすこし高い二二〇～二五〇ミリボルトでした。霊水伝説が生まれるころの水は、おそらく二〇〇ミリボルト以下だったのではないでしょうか。

もっとも、水道水は五〇〇ミリボルト前後ありますから、伏見の湧き水とはくらべものになりません。ORPが四〇〇ミリボルトを越すと酸化力が強くなるとされていますから、水道水をそのまま飲むと、酸化反応によって老化が進むことになります。

水道水の酸化力を強めているおもなものは塩素です。水道水を沸騰させると、ORPも二八〇ミリボルトくらいに下がります。それでもよい水ではありませんが、**せめて沸騰させてから飲むようにしたい**ものです。

かつて有名であった全国の湧き水にも汚染が進んでいますから、SMRテストで確認してから飲むようにしましょう。

◉自然を超えようとすると不自然になる

ここで、酸化と還元について、簡単にふれておきましょう。わかりやすくいえば、酸化反応とは物が壊れていくことで、還元反応はその逆、蘇生です。

私たち人間は呼吸によって酸素を取り入れ、炭酸ガスを排出しています。酸素は身体になくてはならないものですが、その過程で活性酸素という代謝産物ができます。活性酸素はもっとも酸化力が強く、不安定で周囲の細胞から電子を奪うことで安定します。ところが、奪われたほうの細胞は、酸化反応によって崩壊するのです。活性酸素がたくさんできる状況では、この反応がどんどん広がり、組織や臓器の障害へと発展していきます。

身体には活性酸素を消滅させる防御機能が備わっていますが、過度に発生した場合、とても太刀打ちできません。しかも、活性酸素を除去する防御機能は加齢とともに低下していきます。

これに対して、電子を供給して酸化を防ぐ反応を還元といい、細胞は蘇生します。それゆえに私たちは、細胞の酸化（崩壊）から守るためには、還元力（電子を与えることができるもの）をもったものを取り入れる必要があるのです。

活性酸素は老化やガンの発生だけでなく、あらゆる病気に関与していることは周知のとおりで、身体の健康を維持・増進するためには、この活性酸素を除去することが非常に重要なわけです。酸化力の強い水道水は、酸化還元の意味からもよくないことがわかります。

では、どうすれば酸化を防ぐことができるのでしょうか。それにはマイナスイオン（活性水素）を供給することであり、**毎日飲む水のなかにマイナスイオンが多く含まれていれば効果的であろうことはよくわかります。**

マイナスイオンを多く含む水とは、どんな水でしょうか。北パキスタンのフンザには、百歳を超えても健康でピンピンしている人が大勢いると聞きます。なかには百歳で子どもをもうける人もいるとか。

それほどの生命力を保っているのはなぜか、だれしも興味のあるところです。この地で六十年、長寿の秘密を研究していたコワンダ博士という人が、それをつきとめました。どうやら、水に活性水素が大量に含まれていることが関係しているらしいと。

コワンダ博士はパトリック・フラナガンという天才科学者に、実験室でこの水を再現してくれるように依頼しました。そして、フラナガン博士は試行錯誤の末、フンザの水の一〇〇倍もの活性水素を含む水をつくる物質の開発に成功したのです。

それは「マイクロ・ハイドリン」と名づけられ、「まさに不老長寿の夢の薬！」と騒がれました。私もさっそく、カプセルに入ったこの薬をインターネットで入手し、調べてみることにしました。

はたして、ORPが六五〇ミリボルトくらいの水道水に、マイクロ・ハイドリンを一カプセル入れると、酸化還元電位はみるみる下がりました。一時間後にはなんとマイナス四〇〇～五〇〇ミリボルトにも達したのです。なるほど、この水を飲むと、酸化を抑えて還元する力が強まるはず。

ところが、です。SMRテストで調べてみると、簡単に指が開いてしまうではありませんか。つまり、身体は「この水はよくないよ」というメッセージを発しているのです。不思議に思った私は、マイナス四〇〇ミリボルトの水をどんどん薄めていき、段階的にSMRテストを実施してみました。

すると、酸化還元電位の値がプラス五〇～二二〇ミリボルトになったときに、SMRテストが陽性、つまり身体によいという反応に変わったのです。おそらく、五〇ミリボルト以下の水というのは、自然の水そのものがもつバランスの範疇《はんちゅう》を超えたものであるために、人は危険だと察知するのではないでしょうか。

酸化が極度に亢進した状態ならば、一時的に効果があるかもしれませんが、毎日飲む水としては不適当なのでしょう。

酸化還元電位の極端に低い水を飲みつづけると、生体はその反動として、逆に酸化を亢進してバランスをとる可能性もあります。それでは、なんのために活性水素が大量に含まれる水を飲むのかわかりません。それこそ本末転倒です。

水はすべての生命の源です。だからこそ、あらゆる生物が健康に命を長らえるようにつくられているはずです。その水に人間が手を加えて、理論的には優れていても、自然界に存在しえないようなものに変えてしまうと、それは不自然な水となります。

人間は自然から離れれば離れるほど、身体が不自然な状態となり、病気になり、生命の存在も危うくなるのではないでしょうか。大切なのは、自然に近づくことです。そこから離れるのも、超えるのもよくないことだと、身体は知っているのです。

健康にいい水かどうかは自分の身体で知ろう

自然の水というと、ミネラルウォーターを連想する人が多いと思います。一般的には、水道水よりは安全性が高いと思われています。

しかし、昨年、私の医院の近くのスーパーマーケットやコンビニエンスストアなどに置いてあるミネラルウォーターを買い集めて調べたところ、そのほとんどが、水銀、鉛、アルミニウム、ダイオキシン、トリクロロエチレン、殺虫剤、イソプロテレノールなどの周波数と共鳴することがわかったのです。

ミネラルウォーターといえども、決して安心できないのです。ただ、お断りしておきたいのは、波動が共鳴したからといって、これらの物質が実際に混入していることを証明するわけではありません。あくまでも、それらと共鳴する波動が認められたということです。

ちなみに、ダイオキシンは人工の物質のなかでは非常に毒性の強いものであり、トリクロロエチレンは動物実験で発ガン性が認められています。また、イソプロテレノールは寄生虫を増殖させる働きもあるので無視できません。

こうみてくると、米や野菜を洗うのも、できれば自然に近い水を使うのが理想といえるかもしれません。

生命の水研究所の松下和弘氏は、次のように語っています。

「健康によい水は油を溶かす力があり、体内の脂肪組織に蓄積した毒物を洗い流すことができます。また、体内酵素やホルモンの働きを高め、抗酸化物質の力を発揮させます。クラスターが小さいので、細胞との結合が強くなり老化がなだらかになるのです」

このことからも、いい水を飲むことが健康にいいだろうということは納得できますが、では、どんな水が健康にいいのでしょうか。ミネラルウォーターでしょうか。それとも、水道水から身体に害をおよぼす物質を取り除く力のある浄水器の水でしょうか。

生活全体から考えると、浄水器を使うのがベターだと思います。しかし、浄水器は高価ですし、製品化されているさまざまな浄水器のなかからどれを選ぶかはたいへん難しい問題です。ただ、本書を読まれた方は、いい浄水器かどうかを確実に見分ける方法があることにすでに気づかれているはずです。そう、ＳＭＲテストです。

さまざまな浄水器を比較して、先入観にとらわれず、もっとも強く反応するものを選べばよいのです。書いてある効能に惑わされず、自分の身体がどのように反応するのかを冷静にみることこそが、健康を守る基本だということは、どんな場合にもあてはまります。

ちなみに私自身が試して、みなさんにおすすめしているのは、『ナチュラライザー煌《きらめき》』

という浄水器です。

◉――ルルドの水が「奇跡の水」と呼ばれる理由

世界には「奇跡の水」として知られている水がいくつかあります。フランスの「ルルドの水」、メキシコの「トラテコの水」、ドイツの「ノルデナウの水」、北パキスタンの「フンザの水」などです。

「奇跡の水」と呼ばれる理由は、活性水素の働きによると推測されています。いずれにも活性水素が多く含まれていることが確認されています。活性水素には、病気の原因となる活性酸素と反応してその毒性をなくする働きがあるからです。

ルルドの水は天然ゲルマニウムイオン水ともいわれていますが、その効果は活性水素やゲルマニウムの作用だけではなさそうです。周波数的にみると、ルルドの水には第5章で述べる七つのチャクラのすべてを活性化する波動があり、生命エネルギーあるいは自然治癒力を意味する周波数とも共鳴します。

つまり、ルルドの水自体に、人間のトータルバランスを整え、生命エネルギーを高め、自然治癒力を活性化する力があるといえます。これは、ルルドの水がピレネー山脈の岩盤のなかを長い年月を経て流れ下るあいだに、大自然のエネルギーが転写されたものと考えられます。

市販のミネラルウォーターには、すべてのチャクラを活性化する波動はなく、生命エネルギーも自然治癒力を高める力もルルドの水ほど強くありません。人工的な力が加わったものは、なにかが失われるようです。

ルルドの水は物質的に病を治す効果が高いといえますが、本質はほかにあるように思えます。ルルドの水が奇跡の水といわれるようになったゆえんを、簡単に紹介しておきましょう。

ルルドはピレネー山脈の麓、フランスの南西部にある人口一万五〇〇〇人ほどの小さな町。いまからおよそ百五十年前、貧しくて学校にも行けなかった十四歳の少女ベルナデッタが、ルルドの郊外マッサビエルの洞窟近くで薪拾《たきぎ》いをしていると、そこに聖母マリアが現われ、近くのある場所を掘るように告げたのです。

ベルナデッタがいわれたとおりに土を掘ってみると、泉が湧き出しました。不思議に思ってその水で目を洗うと、眼病が急に治ったり、重病人が次々回復したりしたのでした。そのことが世界中に広まり、「奇跡の水」として知られるようになったのです。

今日では年間五〇〇万人以上の人が、なかには車椅子やストレッチャーに乗せられて、世界中から訪れています。大聖堂でのミサ、大理石でできたバスタブでの水浴、夜九時から始まる蠟燭《ろうそく》行列などに参加しますが、そこには言葉にしがたい崇高な雰囲気が醸しだされています。

私も水浴を体験しようと思い、賛美歌や牧師の説教を聴きながら待つこと一時間。順番がきてなかに入ると、三人のボランティアの方が世話をしてくれます。全裸になり、腰に白い布を巻かれて水槽内へと導かれます。水槽内で立ったまま、眼前のマリア像に祈り、十字を切り、「感謝の気持ちを捧げるように」といわれるままにしていると、しだいに無心になってきます。

続いて、水槽内に座るように合図され、首まで浸かります。一瞬、ヒヤッとしますが、すぐに立ち上がり、差しだされたコップの水を飲み終えると終了です。身体は拭かず、そのまま着衣します。

その間、わずか数分ですが、なんともいえない爽涼《そうりょう》感が内から湧き上がり、全身が清浄なエネルギーに包まれて心身がさわやかになります。

このエネルギーは、気分や思い込みではなく、実感としてあるものです。独特の雰囲気のなかで、水浴の儀式などによって心が浄化され無心になったとき、心の奥深くにある神聖なものが湧きあがってくるのだと思います。

これは宗教うんぬんというより、もともと人間の根底を流れているもので、自然治癒力の大元だろうと私は考えています。そして、信じること、無心の祈り、感謝の気持ちが、それを引き出すための必要条件ではないかと思います。

第4章

SMRテストの正しい使い方

●――無言で問いかけても正しく反応する

はじめて「ＳＭＲテスト」をする場合は、テストを始める前に準備体操にあたることをしておくと、あとがスムーズに進みます。

また、指の筋力が強くなったり、弱くなったりするので、つい余分な力が入りがちになりますが、ＳＭＲテストは決して力くらべではありません。指にかける力を極力一定に保ち、なにも考えず、自分のなかから起こる反応にまかせるようにしてください。

私は、患者さんの右手か左手の人差し指を親指の先端にくっつけて、輪をつくってもらいます。力は強からず、弱からずです。具体的にいうと、空のビールビンをもって、落ちないくらいの強さでいいでしょう。

そして、問いかける側も、両手の人差し指と親指で輪をつくり、患者さんの輪のなかに入れて、問いかけ、一瞬の間をおいてから水平に引っぱります。このとき、親指と人差し指では患者さんの輪が開かず、人差し指に中指を加えて三本の指で引っぱったときに、大きくカパッと開くのが理想です。

人によっては、人差し指だと力が強すぎることがありますので、その場合は右手から左手に変えたり、中指、薬指に変えたりして、理想に近い指を探します。

指は頸椎《けいつい》から出ている神経の支配を受けていますから、頸椎がゆがんでいると、指に力が入りにくくなります。

頸を前後、左右に曲げ、さらに右向き左向きにまわしたときに指が弱くなるかどうか確認しておきます。弱くなる方向があると、テスト中はその方向に頸を曲げないように注意します。こうして指のセッティングができたら、いくつかの正誤のはっきりした問いかけをしてみます。

問いかけるさいの大切なポイントは次の二つです。これを守らないと、得られる情報もあやふやになります。

①何を引き出したいのか、目的をはっきりさせること
②イエスかノーで答えられるような内容にすること

「あなたは男性ですか」
「住まいは東京ですか」
「三十代ですか」
「血液型はA型ですか」などなど

正解であれば、筋力が強く指は閉じたままになり、まちがっていれば簡単に輪が開くことを確認します。

次に、無言で問いかけても同じように反応するかどうか確かめておきます。無言でも正しく反応すれば、準備はすべてオーケーです。無言で問いかけても正しく反応することは、この反応が脳だけによるものではないことを示しています。

声に出すと、患者さんが無意識のうちに自分の頭で判断をしようとして、混乱することもあります。そんな場合は、無言で「問いかけ」をします。

無言で問いかけることのメリットは、患者さんが何をたずねられているのかわからないので、判断による誤差が生じない点です。他方、声に出す場合は、患者さんが一つひとつのことについて納得できるので、みずから気づくという利点があります。

これは、患者さんに合った方法で行ないます。また、幼児や高齢者、手足や脳などに障害がある方など、直接行なえない場合は、家族やアシスタントに患者さんの手を握ってもらってその反対側の指で行ないます。

単純であるがゆえに調整が重要

ＳＭＲテストは、指でつくった輪を引っぱることで、指が開いたり、開かなかったりする、単純な動きによって判断するものです。単純であるがゆえに、それなりの調整が必要です。調整をおろそかにして、まちがった情報を得たのではなんにもなりません。

はじめてＳＭＲテストに接する人には、十分に説明し、納得していただくことから始めます。納得できないまま、あるいは不信感を抱いたままではうまくいかないからです。患者さん自身も気づいていない情報を引き出すというのは、多くの人にとってなじみがないことです。ですから、とまどいが生まれるのも無理のないことです。

患者さんの立場で考えると、

「病院の先生はなんでもお見通しだろう。任せておけば、ちゃんと治してくれるはずだ」

と思われるかもしれません。

簡単な病気であればそれでいいとしても、難病や進行したガンになると、どうしていいかわからないことが多々あります。検査データや医学的知識だけでは、どうにもならないことがあるのです。

ですから、診察を始める前に、次のようなことをお話しします。

「病気を治すためには、その原因を知る必要があります。検査データや知識ではわからない、ほんとうの原因を知るためには、あなたの身体から情報を引き出すのがいちばんいい方法です。人間には、自分に必要なことは、どんなことでも知ることができるすばらしい能力が備わっています。自分の潜在能力を素直に信じて、自分の身体がどう反応するのかに任せてみてください」

多くの患者のみなさんは、真剣に自分の病気を治したいと思っているので、理解も得られやすいといえます。この説明でＳＭＲテストに参加することに興味をもっていただくと、なかば成功したようなものです。

◉――松果体が鍵を握っている

ＳＭＲテストによって正しく情報を引き出すには、自分と相手の身体が、肉体、心、魂のバランスがとれた状態でなければなりません。このバランスを崩すものには、ストレス、電磁波、化学物質による汚染、ジオパシック・ストレス（水脈や鉱脈、断層などからくる土地のエネルギーの影響）などがあります。

とくに、ストレスや電磁波（携帯電話、パソコンなど）に晒《さら》されると、生命エネルギーの通路である大切な二つの経絡、すなわち、「三焦―心包経」と「肝臓―胆嚢経」が弱くなります。その結果、松果体の機能が低下します。

松果体はメラトニンを分泌する内分泌腺として知られていますが、肉体と心をつなぐ中継点として大切な役目を担っています。松果体の機能が低下すると、肉体と心の連携が不十分となり、ＳＭＲテストが正しく反応しなくなってしまいます。

これら二つの経絡はとても重要な働きをしていますので、ぜひ知っておいてください。

「三焦経」は、脳幹（間脳、中脳、橋、延髄）と副腎の機能にかかわっています。脳幹は生命の座と呼ばれるように、呼吸、循環、体温、自律神経、ホルモン、食欲、睡眠、排泄などの中枢が集まっており、生命を維持するための重要な機能を担っています。

副腎は突然の危険やストレスなどに対処するためのホルモン（アドレナリン、ノルアドレナリン）を分泌したり、蛋白質、糖、脂肪などの代謝にかかわるホルモン（糖質コルチコイド）を分泌したりしています。

「心包経」は、免疫（胸腺、リンパ）にかかわっています。この三焦―心包経の働きが弱くなると、疲れやすい、息苦しい、不眠、冷え症、生理不順、自律神経失調症などに悩まされやすくなるでしょう。

また、危険を察知する動物的本能も弱くなります。そのうえ、免疫力が低下するため病気にかかりやすくなります。

「肝臓経」は、肝臓、筋肉、目にかかわり、「胆囊経」は、胆囊、大脳皮質、大脳辺縁系、筋肉の動きなどに関係しています。したがって、腰痛、肩凝り、目の疲れなどをよく自覚するようになります。考えるのが面倒になったり、記憶力が低下したりすることもあるでしょう。

外関と内関

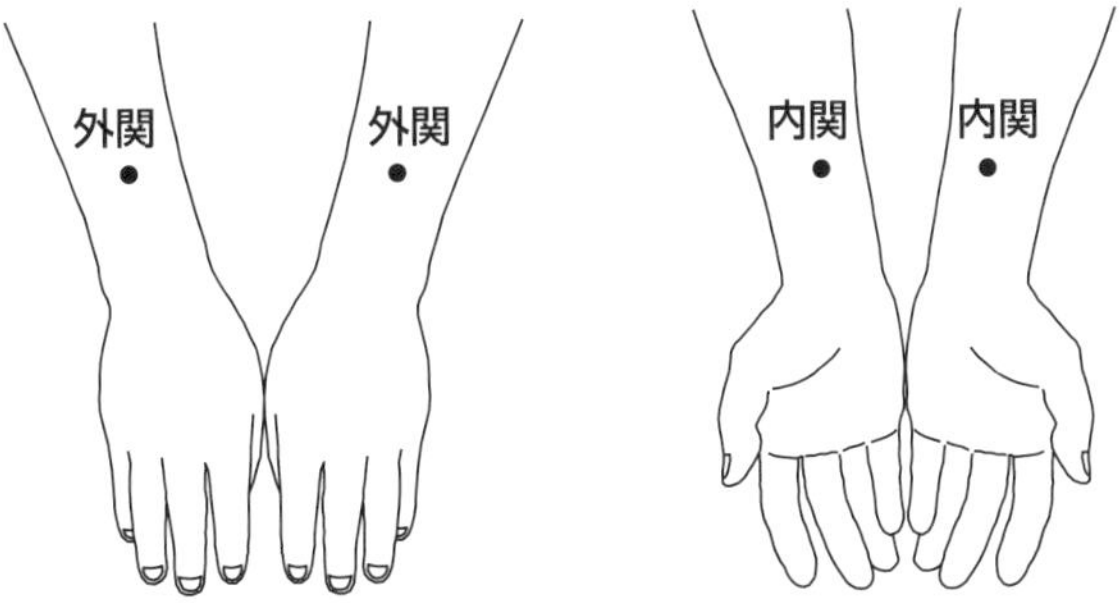

太衝と臨泣

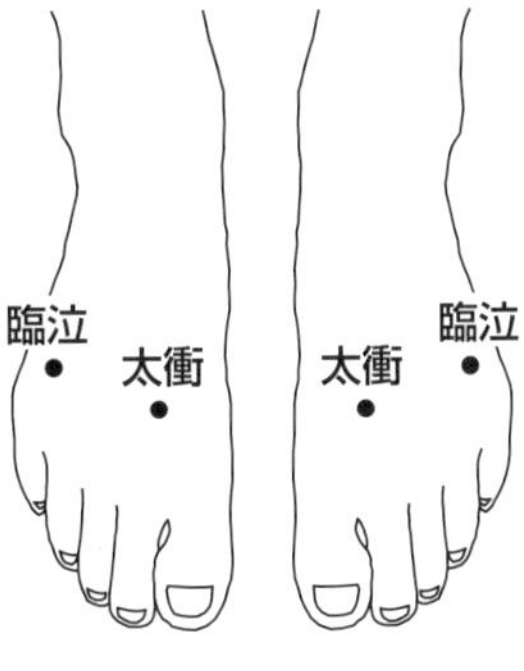

ＳＭＲテストの前には、代表的なツボを刺激して、これら二つの経絡の働きを回復させておきます。

「三焦経」は外関（手首の甲側関節面中央からおよそ四、五センチ上方）を、「心包経」は内関（外関の反対側でほぼ同位置）を、反対の親指と人差し指で一、二分マッサージします。指で軽く押さえながら、痛気持ちいいところを探します。

「肝臓経」は太衝《たいしょう》（足の甲側で第一指と第二指の付け根から足首の方向に押していき、骨とぶつかるところ）を、「胆嚢経」は臨泣《りんきゅう》（足の甲側で第四指と第五指の付け根から足首の方法へ指を滑らせていき、骨のあいだでとまるところ）を一、二分マッサージします。

ちなみに、私の医院で実験したところ、携帯電話で三分間話をしたり、メールを四分間以上使ったりするだけで、松果体の働きに影響が現われました。電磁波が身体に与える影響はとても大きいものだと考えられます。

電磁波用のグッズを使用するのもいいのですが、影響をゼロにすることはできません。こうした機器の使用を最小限度にすることがもっと大切です。便利なものに使われて、大切な生命を守るための機能を低下させたのでは健康を維持するのが難しくなります。

緊張の強い人には、リラックスしてゆったりと腹式呼吸をしてもらうといいでしょう。

お腹を引っ込めながら息を吐くことから始め、十分《じゅうぶん》吐き切ったところでお腹をゆるめると、自然に空気が入ってきます。これをくりかえします。

ただ、携帯電話やコンピュータをあまり使わない人は、まったく調整を必要としないこともよくあります。

◉──内面から気づきをうながす

ここで、ＳＭＲテストを正確に行なうためのポイントをまとめておきましょう。

●テスト前の準備

①三焦─心包経（外関、内関）と肝臓─胆嚢経（太衝、臨泣）のツボをマッサージしておきます。

②ゆったりとした腹式呼吸をしながら、平穏な心を保ちます。先入観にとらわれず、知りたいことに集中します。

③被検者に親指と人差し指で輪をつくってもらいます。
④検者も両手の親指と人差し指で輪をつくり、被検者の輪のなかに入れて、水平に引きます。お互いの指の強さは、強からず、弱からず。
⑤答えのはっきりしていること（性別、年齢、住所、国籍、血液型など）について、いくつか問いかけます。
⑥答えが合っている場合には指の輪が閉じ、答えがまちがっている場合は開くことを確認します。
⑦正しく反応するようになったら、無言で問いかけても同じように反応することを確かめておきます。

●**実践にさいして心がけること**

①いっさいの先入観をもたない
②目的をはっきりさせ、二者択一の問いかけをする
③慣れないうちは得られた情報を鵜呑《うの》みにするのではなく、ほかの方法で検証できるものはする

④SMRテストはあくまで補助手段として使うことを心にとどめ、病気の判定、診断は慎重に行なう

人への影響が出ることに関しては極力慎重にして、自分で責任がとれることには気楽にどんどん試してみてください。慣れてくると、研究開発、会社の経営、モノづくりなど、さまざまな方面に応用できます。

病気の原因はこうしてみつけだす

病気の原因の一つに有害金属や化学物質の蓄積があります。それらがなぜ蓄積したのか、どうすれば排除できるのか、健康の回復にはとても大切な問題です。この問題をSMRテストで具体的にどのようにするのかみてみましょう。

化学物質や有害金属を特定したい場合、私のところでは、金属（三二種）、化学物質（一二八種）合わせて一六〇種類のサンプルが用意してあります。金属の影響について調べた

い場合を例にとると、まず、「三二種類あるサンプルのなかに、原因となる金属はありますか」と問いかけます。

答えが「イエス」なら、つまり指の筋力が強くなればサンプルを半分に分けて、一番から一六番のなかにあるかどうか確認します。あれば、今度は一番から八番に分けて、同じ問いかけをします。

このように、順次半分に分けながら質問していくと、短時間でみつけ出すことができます。時間に余裕があれば、納得いくように一つひとつ確認するのもよいでしょう。同じ結果が得られます。

次に、特定できた物質がほんとうに影響しているかどうかの確認は、そのサンプルをもって、異常のある部位に近づけるのです。その場所に同じ物質があれば指の筋力が弱くなって開きます。

こうして有害物質が原因として疑われたら、それがどういうルートで体内に入ったかを調べます。

「食事を介して体内に入りましたか」

と聞いて、「イエス」ならば、

「お米ですか」

「お水ですか」

「間食ですか」

「野菜ですか」

「アルコールですか」

など、さまざまな食品について問いかけ、「イエス」の答えが得られるものを特定していきます。

また、「ノー」ならば、環境について、

「空気を吸い込むことによって体内に入りましたか」

「自宅にいるときですか」

「職場にいるときですか」

などとくりかえしていきます。

食事でも環境でもないとすると、「皮膚から入りましたか」という問いかけに切り替えます。化粧品やシャンプー、洗剤、毛染めなどについて調べることになります。こうして原因がわかれば、治療は簡単です。有害物質が入っているものの使用を中止し、解毒のための方策を講じます。すこしでも結果に疑問が残れば、実際使用のものを持参してもらって確認します。

このように、知りたいことを一つひとつ謎解きのようにして調べていけば、病気のほんとうの原因をみつけることができます。そして、それを除去することによって、完治に導くことができます。

これまでの経験と知識のみに頼って解決しようとすると限界があります。経験と知識に加えて、人は知りたいことは、知りうる存在なのだということを前提に、SMRテストを併用すれば、楽に早く解決することができます。

◉化学物質過敏症はだれにでも起こりうる

八十四歳になるある女性から、自分の体験を綴った『ある日　化学物質過敏症』（三省堂）という本が送られてきました。これを読むと、化学物質がいかに多くの生活必需品に浸透し、私たちの肉体的健康のみならず心まで蝕みつつあるか、また難病や奇病、ガンなどの治りにくい病気にも深く関与しているであろうことに気づかされます。

この女性だけが特殊なのではありません。日本は、農薬や石油製品などに使用する化学物質の量が、世界でもダントツに多い国です。それだけ大きな危険に晒されていることになります。

アメリカ、カナダなどの調査では、国民の一割が化学物質過敏症に罹患していると報告されていますが、日本では環境や生活状況を考えると、それ以上と考えざるをえません。私も日々の診療のなかで、過敏症とまではいかなくても、化学物質や有害金属が原因でさまざまな不調を訴える患者さんが驚くほど多いことを実感しています。

この病気の難点の一つは、血液検査やCT、MRIなど、最新の医療機器をもってしても、異常を検出できないことにあります。そのために発見が遅れたり、不定愁訴と退けられたり、的外れな治療しか受けられなかったりで、苦しんでいる方が大勢いるのです。

有害物質が身体のもつ解毒能力を超えて蓄積されると、免疫系、代謝系、内分泌系、神経系などにさまざまな影響が出て、過敏な体質になります。蓄積が脳幹にまでおよぶと、生命力、自然治癒力をうんと低下させます。結果、ほんのわずかな有害物質に曝露されただけで、身体は拒絶反応を起こすようになるのです。

さらに、身体だけではなく、心にも影響が出ます。うつ病やパニック障害、統合失調症などの精神障害をきたすことも少なくありません。

環境汚染が進む現代において健康を考える場合、化学物質過敏症という病気を理解しておくことはとても重要ですので、『ある日　化学物質過敏症』のなかからの抜粋と治療の経過を紹介しておきましょう。

多岐にわたる化学物質過敏症の実態

著者である女性の苦しみが始まったのは、私のもとへやってくる十年ほど前のことです。油絵の下塗りをしているさなか、急な頭痛と眩暈に襲われたのが最初でした。その後はインクや紙にふれると気持ちが悪くなるため、本を読むことができなくなります。そして、電話もコンピュータも、それが発する電磁波に反応して、数分で頭痛がするようになりました。

近くの茶畑に農薬が撒かれる日は、雨戸を閉め、隙間に詰めものをして閉じこもっているほかありません。ご主人がケガをして消毒薬や軟膏をつけただけでも息苦しく、舌の灼熱感や眼痛を覚えます。

しだいに反応するものがふえ、目のかすみや筋肉痛、関節痛、のぼせ、咽頭痛、発熱、呼吸困難、激しい疲労感など、さまざまな症状に苦しむようになったのです。

症状が進むにつれて、全身の皮膚からネチネチした蜂蜜色の液体や、ギシギシした白い分泌物が出てきました。それで皮膚呼吸ができなくなるのか、閉塞感を覚えると同時に、頭痛、筋肉痛が起こり、リンパ腺も腫れてきたといいます。

そのうちプラスチック製品にも反応するようになって、テレビ、オーディオ製品など電化製品をはじめ生活用品の多くのものが使えなくなり、新しい衣類はまったく着ることができません。

アルコールに反応するため酒席に出ることができず、楽しみにしていた同窓会を断念せざるをえなくなります。ですから家族もアルコールを飲めないということで、周りの人に迷惑をかけるという気持ちが精神的にも彼女を苦しめます。

化学物質過敏症の実態を知らない人からは、大げさな、異常な性格の持ち主とみられることもあったとか。そのうえ、病院での検査ではさしたる異常がみられず、「原因不明、治療法なし」と宣告されたことで、いっそうつらく、希望のない日々を送ることになったのでした。

◉——マニュアルなき道も安心して進める

来院当日、なんとか解決の糸口をつかみたかったのでしょう、症状に関する訴えがとめどなく続いたのですが、私は最初どうしたらいいか見当もつかず、ただ黙ってひたすら聞くしかありませんでした。

そんなとき、私はすこしのあいだ考えることをやめ、「どうしたらいいのか知りたい」と無言で自分に問いかけ、じっと待つことにしています。そして、どんな手がかりでもいいから、感じたり、ひらめいたりすると、とりあえずそのことから始めてみるのです。そうすると、それが誘い水となって新たな展開が開けてきます。

その方の話が終わりそうになったとき、私はふと、手持ちの化学物質のサンプルで反応するかどうか試してみよう思ったのです。やってみると、七種類の化学物質、一二種類の金属に共鳴反応がみられました。通常では考えられないほどの多さです。

次に、それらの化学物質を排泄させるのに効果的なものは何か、可能性のあるものを問いかけていきます。

一般的には、自分が知っているもののなかから効果的だと思われるものを選び、試していくのですが、もしそれでうまくいかなかったら次のものを選ぶため、効果的なものがみつかるまでに時間がかかることがあります。

しかし、SMRテストで得られたものは最初から効果があり、ムダが省けます。驚いたことに、八十四歳になられるその方は、話の内容、記憶が明晰であるばかりでなく、指の筋肉反射がきわめて鋭敏で、どのような問いかけにも正確に反応してくれました。最初からSMRテストのための準備も不要で、解決への糸口は、ただ知りたいことを問いかけるだけでよかったのです。

化学物質過敏症については、これまでいくつかの病院で診察、治療を受けていましたが芳しい結果は得られませんでした。私も、これほどまでの化学物質過敏症の経験はなく、治療マニュアルもないので、手探りで一つひとつ確実な情報を引き出す以外にありません。

結果的にその日に処方したのは、三三種類の植物が入っている『天然力茶』というお茶と、ホメオパシーとして、植物から生成されたナックスボミカとブライオニア、それに私の開発した堀田式野菜スープです。

ホメオパシーは、十九世紀初頭にドイツ・ザクセン地方の医師サミエル・ハーネマン氏（一七五五〜一八四三年）が確立した薬物治療医学で、日本語では同種療法、類似療法などと訳されています。

たとえば、漆にかぶれる人がいたとしたら、あらかじめ漆を水で薄めたものを飲むなり、塗るなりすると、かぶれに対する免疫力がつき治るという考え方です。一言でいえば、「毒をもって毒を制する」という療法で、症状を起こしている原因になる成分、あるいは同じ症状を呈する成分がほんとうに入っているのかどうかわからないくらい希釈（一〇万〜一〇〇万倍）して、その成分の波動だけ残した液体を投与するものです。

ナックスボミカはマチシン、ブライオニアは蔦瓜という植物から生成されたもので、前者は体内の毒出しや便秘、食べ過ぎ・飲み過ぎなどに、後者は頭痛や身体の乾燥、激しい痛みをともなう空咳などに効果があるとされています。

そして一カ月後、この女性は「とても元気になった」とうれしそうな顔で来院したのですが、次に解決しなければならない問題がありました。全身から分泌されるネチネチしたものと、ギシギシしたものの処理です。

調べてみると、それは毎日二度入らなければならない風呂の水道水が大きな原因でした。水道水に反応することは以前からわかっていて、二日に一度、ミネラルウォーターを配達してもらって飲んでおられたのですが、風呂にまで使うことはできません。

それで風呂に入ることで全身の皮膚から化学物質が体内に入り、その反応としてネチネチした分泌物が出ていたのです。簡単にはとれないため、仕方なく洗浄力の強い石鹸を使わざるをえません。そうすると、身体は石鹸に含まれる化学物質によるギシギシした分泌物を新たに排泄しなければならないのでした。

風呂の水を天然石で処理し、洗い流すのは昆布水（昆布を数時間水に漬けておいたもの）が効果的でした。そのあとも新たな原因をみつけては処理するということをくりかえしていくなかで、すこしずつ元気をとりもどされました。

これらの治療法を選んだのは私ではなく、彼女自身です。ＳＭＲテストを通して、彼女の身体が「これがいい」と反応したのです。ＳＭＲテストの信頼性は、得られる情報を実行することで問題が改善されることによってえられます。

ともあれ、化学物質過敏症の治療は辛抱強く原因を特定し、排除することと、体内に蓄積された有害物質を排泄することです。それによって、体質が徐々に変わるとともに、化学物質に対する容量がふえ、少々のことでは反応しなくなります。

◉——有害物質の蓄積がてんかん発作の原因か

化学物質過敏症にはさまざまなケースがありますので、別の二つのケースについてもお話ししましょう。

一人は、明け方に突然、痙攣を起こした四歳の男の子です。発作に驚いた家族は、子どもを急いで病院に連れていきました。そのまま入院となり、脳波の検査をしたところ、「癲癇《てんかん》波が出ている」ということで、テグレトールという抗癲癇薬が処方されました。

そのさい、「原因は不明です。でも、薬は半年間服用を続けてください。その間にもし、一回でも発作が起きたら、さらに四年間服用しなければなりません」と説明されたそうです。お母さんは、「癲癇の発作ははじめてで原因もわからないのに、なぜそんなに長い間、薬を飲みつづけなければならないの？」と疑問に思い、私のところへ相談にみえたのです。

調べてみると、頭部に血流の悪いところがあり、そこに環境化学物質が四種類、殺虫剤・駆除剤が六種類、それに水銀、アルミニウム、鉛が蓄積していることが推測されたのです。このうちどれが癲癇の発作に関係しているのかはわかりませんが、除いておくほうがいいことは明らかです。

水や食べ物、壁紙、除湿剤など、汚染の原因と推測されたものを排除するように説明し、解毒のための『天然力茶』と堀田式野菜スープ、中国パセリを処方しました。しばらくして来院されたときには、有害物質の反応はなくなっていました。その時点で、お母さんは自分の判断でテグレトールの服用をストップしたそうです。以来、息子さんにはなんの異変も起きていません。

癲癇と化学物質の因果関係は不明ですが、化学物質のなかには神経毒のものがあります。いくつかの化学物質が複合して神経を痙攣させ、癲癇発作を引き起こしたと考えられます。

●――化学物質によって視力障害が……

もう一人は、サルコイドーシスという肉芽腫が全身のあらゆる臓器・器官にできる原因不明の病気になり、おもに視力障害で悩む小学生の男の子です。男の子は大学病院と私の医院の両方に通院していました。私のところへは週に一度、大学病院での眼圧と視力の検査結果をもってやってきます。

私の役割は、データを参考にしながら、視力障害の原因と対処法をSMRテストで探し出すことでしたが、私は、「こんなものにまで反応するのか」と驚かされてばかりでした。

トイレの芳香剤、家の壁に塗られたペンキ、学校の廊下に使うワックス、建物の新建材、置物、除草剤、コピー用紙、家具、食品添加物、外国産のくだもの、水道水、中国茶、ポテトチップスなど、さまざまなものに反応しては、そのたびに眼圧が上昇し、視力が低下していました。

そのつど、ＳＭＲテストで得られた治療法を実践すると症状は改善されるのですが、次から次に化学物質に晒され、悪くなったりよくなったりをくりかえしていました。

そのうち、両親もＳＭＲテストを自分たちでするようになって、原因となりそうなものを未然に防ぐことができるようになったものの、予想もできないところ（スーパーマーケットのくだものや衣類の売り場、映画館内の土産物店など）で化学物質の直撃を受け、ダウンせざるをえないという状況が続いていました。

それでも家族は一生懸命、化学物質による汚染を避け、堀田式野菜スープをつくる努力をしています。学校にも協力してもらって安全な教材を使い、別の教室で安心して勉強できるようにしてもらいました。

その結果、徐々に体質が変わり、これまで過敏に反応していたものにも反応しなくなり、視力もわずかながら回復しつつあります。

以上の例でわかるように、有害物質の脅威というのはいたるところに潜んでいます。それは、日本がいかに汚染されているかということであり、子どもを含めて多くの人が犠牲になりつつあるということです。

予測を超えたところで、汚染がどんどん拡がっていることに、より多くの人が関心をもっていただき、一人ひとりが汚染を少なくするように努力していかなければ解決できない問題です。

人間は多重構造をしたエネルギー体

プロローグでもふれましたが、ＳＭＲテストは、東海高次元研究会の主宰者であった宮崎雅敬先生との出会いによって体系化されたものです。宮崎先生は、薬剤師、鍼灸師、臨床検査技師の資格をもち高次元医学という新たな医療を構築し、難病治療に取り組んでおられました。西洋医学とも、また漢方医学とも違うとらえ方をされており、私にはとても刺激的でした。

高次元医学というのは、次元の高い医学という意味ではなく、多次元的に人間をとらえようとする考え方から名づけられたものです。おもな内容は次のとおりです。

①人間の身体は、肉体、感情体、意識体、本質生命体（魂）からなる多重構造をしたエネルギー体である

②それらは多次元（肉体は三次元、感情体は四次元、意識体は五次元、本質生命体はそれ以上の次元）に存在するが、一つの身体として統一されている

③病気の主たる原因は、感情体、意識体にある

④意識を使って本質生命体から必要な情報を引き出し、対処する

宮崎先生はアシスタントの指を使って本質生命体に問いかけ、必要な情報を引き出すという意味で、「本質生命体との対話」といっていました。本質生命体とは何かについては、魂に置き換えるとわかりやすいでしょう。「魂をこめる」とか「魂が抜けたような気分」というように、私たちはふだん何気なく使っています。ただ、魂は、目にみえない、人知を超えたところにあるものだけに、それがほんとうに存在するのかどうか、疑いを抱く人も少なくないかもしれません。

私が魂の存在について考えていることを、すこし嚙《か》み砕いてお話ししましょう。

人間の肉体には〝耐用年数〟があります。いつかは寿命がきて、心と体は死を迎えますが、魂だけは残るといわれています。その後、別の肉体に転生して新たな人生を刻みます。これが「輪廻転生《りんねてんしょう》」といわれるものです。

こうして魂はいくつもの人生を生き、経験を積み重ねるなかで、進化・向上していき

ます。この輪廻転生のなかで見聞きした固有の情報をすべて記憶し、ほかの魂とは違った個として存在します。

それだけではなく魂は、「真我」と呼ばれる、すべての生命の核となるものを内包しています。それこそ人間の本質というべきもので、それと一体となることが魂の進化・向上の目的ともいえます。

「真我」を内包した魂は、宇宙の過去・現在・未来にかかわるすべての情報が記録されているデータベース（量子真空）とつながっています。だからこそ、人は自分の経験・知識以上の情報を引き出すことができるのです。

意識は時空を超える

ＳＭＲテストを使うと、病める人の問題点を探るために、過去あるいは必要があれば前世にさかのぼって明らかにすることも可能です。このことから、意識は時空を超えるものであることは経験的にわかっていましたが、それをあらためて確認する機会がありました。

「リモート・ビューイング（RV）」という遠隔透視法のセミナーをエハン・デラヴィ氏から受けたときのことです。スコットランド生まれの氏は、二十二歳のときから日本で暮らし、弓道を学び、東洋医学も勉強したようです。現在、世界各国でリモート・ビューイングを教えています。

ちなみに、このリモート・ビューイングは、ソ連やアメリカのスパイテクノロジーとして、二十年以上も前に研究が始まり、その後、大学や研究所で科学的に研究されたものです。

意識を使って、宇宙すべての情報があるとされるデータベースにアクセスして必要な情報を得る方法として、また、いまでは眠っている脳を活性化し、意識の変容をもたらすテクニックとして広まりつつあります。

簡単にいえば、直観力に優れ、創造力あふれる人間に生まれ変わるためのワークプログラムです。

セミナーでは、モニターから指示されるままに、瞬間的に頭に浮かんだことを書き並べていくのですが、私を含む参加者四〇～五〇人の大半が、自分がまったく知らない遠い場所や過去の人物、出来事にアクセスできたのです。これは、大きな驚きでした。

内容をすこし紹介しましょう。

モニターが自分だけが知っている実際に起こった過去のあるイベントを想定し、それに対して八桁のコードナンバーを勝手につけ、そのコードナンバーだけをビューア（透視する人）に伝えます。

次に、ビューアは定式と呼ばれる一定の方式に従って、直感的に受け取った情報を書き並べていきます。最後に、一見なんの脈絡もないと思われた情報をまとめます。

すると、モニターが想定したイベントに確実にアクセスしていたことが判明し、事実関係が明らかになったり、知りたいと思った人物の心理状態がわかったりするのです。

リモート・ビューイングのポイントは、次のようになります。
①自分の経験や能力的なことにこだわらない
②固定観念に沿って推測したり、想像したりしない
③情報は瞬時にやってくる
この体験から、「人は無心になると、瞬時に核心をつかむことができる」という事実を客観的に確認できたことで、意識の働きについていっそう確信が深まったのです。意識

は時空を超えて、知りたいことの情報源にアクセスすることができるということを心にとどめておくと、何をするにもとても役に立ちます。

たとえば、見知らぬ土地で道に迷ったとき、地元の人にたずねれば簡単に解決できるようなもので、地元の人にあたるのが意識ということです。意識を媒介に的確な問いかけをすればいいのですから。

ただ、この意識というソフトを生かすには、「そんな魔法みたいなことができるわけはない」といった観念を払拭し、素直に自分の感性に従ってみることです。そうすれば、自分のもっている能力にきっと驚かれるでしょう。

第5章

大自然のパワーが病気を癒す

● 科学ではおよばない微細な波動をキャッチ

自然界には、人を癒すパワーをもったものがふんだんにあります。非常に微細な波動ですが、人間にはそれをキャッチする能力が備わっています。

たとえば、空気のきれいなところへ行けば、思わず深呼吸をします。

天然の湧き水をみると、のどが渇いていなくても、手にすくって飲みたくなります。

かぐわしい香りを放つ花があると、鼻を近づけて香りを吸い込みます。

豊かな自然の地に身を置くと、靴を脱いで素足で大地を踏みしめたくなります。

疲れると、天然温泉にゆっくりと身を沈めたい気分に駆られます。

こんなふうに、私たちは無意識のうちに、自然がもつパワーに癒しを求めているのです。そんな自然界にある微細な波動に注目して、さまざまな療法が確立されています。

たとえば、「フラワー・エッセンス（花療法）」という治療法があります。これは、イギリスの外科医であり、高名な細菌学者でもあったエドワード・バッチ博士（一八八六〜一九三六年）が確立した療法です。

バッチ博士は、

「病気の原因は、恐怖心などのネガティブな感情や意識が身体のエネルギーの流れをブロックし、魂と肉体とのあいだにアンバランスが生じた結果だ」

と考え、そのバランスを回復する手段として、自然の花を選びました。

彼の鋭敏な感性が、植物の微細な波動には人の心身のバランスを回復させる力があると看破《かんぱ》したのです。博士の感性は、花びらを舌のうえに乗せただけで、その植物が精神面にどんな影響を与えるかを感じ取ることができたほど繊細《せんさい》でした。

その独自の感性に従って、人のさまざまな意識や感情によい影響をおよぼす三八種類の花が選び出されました。人間の感受性は、科学の力ではとうていおよばない微細な波動をキャッチできることを、バッチ博士は証明したといえるでしょう。

◉病気は光の過不足によって起きる

自然の素材を使った治療で、忘れてはならないものに鉱物があります。鉱物は、地球誕生とされる四十六億年前から存在し、その後、長い年月のなかで地球環境の変化や地殻変動などにともなって水や空気ができ、やがて生命が誕生しました。

その意味では、鉱物は生命の起源よりもはるか昔から存在していたわけで、地球の基礎であり、生命の起源にもかかわっていたことはまちがいありません。

鉱物には宝石と呼ばれるものから、見た目にはさほど美しくなくても特異な効力をもつもの、あるいはマイナスイオンや育成光線（遠赤外線）、微量の放射線を放出するものなどがあります。

宝石は、数千万年から数億年の年月をかけて、宇宙光線と地球のマグマのエネルギーが色鮮やかに結晶化したものです。天と共鳴する波動と地と共鳴する波動があり、さらに固有の色があります。

それゆえに、宝石には表面的な美しさに加えて、深遠な大自然のパワーが込められています。古の人はその神秘なパワーに魅せられ、紀元前数千年前よりたんなる装飾品としてだけでなく、運勢の好転や、心身の癒しに応用してきたのです。インドではそれが脈々と受け継がれ、今日にいたっています。

私は、宝石は自然界に存在するもののなかで、もっとも精妙な波動を有していると考えています。この宝石を治療に応用したのが「宝石光線療法」です。宝石光線療法は「テレセラピー」とも呼ばれています。テレは「遠い」、セラピーは「治療」という意味で、宝石を使って遠隔的に心身の不調を癒すことができます。

この療法を開発したのは、インドの仏教学・密教学の研究家であり、医学者・哲学者でもあるベノイトシュ・バッタチャリア博士（一八八七～一九六四年）です。

存在するあらゆるものは宇宙に遍満《へんまん》する光のエネルギー（光線）から成り、生物の最小単位である細胞も、必要な光線を取り入れることによって生命活動を営んでいます。その光線に過不足が生じると、細胞は十分なる生命活動を維持できなくなり、いわゆる病気と呼ばれる状態になります。

この病気の原因である光の過不足を宝石光線で補正し、生命活動を蘇らそうとするのが、宝石光線療法の原理です。光は、大まかに七つの可視光線（虹の色）と赤外線、紫外線の九つの光線に分けることができます。

バッタチャリア博士は、密教経典、占星学、アーユルヴェーダ、東洋薬学、東洋哲学など伝承医学の叡智を集大成し、九種類の光線に対応する宝石を特定して、宝石光線療法を完成させたのです。

病気になると病院での治療を考えますが、治療の原点はあくまでも家庭であり家族です。手術などは別にして、家庭で家族に見守られながら治療が受けられたら、どんなにか心が安らぐことでしょう。

病気になると、精神的にも弱くなります。家族の援助、心のこもった温かい食事、住み慣れた環境、周囲の目を気にすることなく自由に行動できる、といったことが、精神的な面を含めて治療効果を高めることはいうまでもありません。

宝石光線療法が日本に導入され、一般の人にも使われるようになったのは、氏家五十六氏の功績によります。氏家氏は福島県いわき市の山中にヒーリングと瞑想のための道場を開き、難病治療にあたっています。常識にとらわれない自在の発想と行動力でよりたしかな治療法を探究しつづける氏家氏は、私が敬愛してやまない人です。

色と光による治療に関心を抱いていた氏家氏は、バッタチャリア博士の著書を読み、カルカッタ郊外のナイハティという町にある博士のクリニックを苦労しながら探しあて、日本での使用許可を得ました。

私は氏家氏から話を聞いたとき、意識を使うことなく器械で遠隔治療ができること、しかも大自然のパワーを内包する宝石に未知の可能性を感じ、近い将来、多くの人に恩恵をもたらすと確信したのです。

私が使いはじめて五年になりますが、七〇〇例近い経験から、宝石光線療法のたしかな効果を実感しています。

◉人の波動は写真、指紋、筆跡、血痕と同じ

宝石による遠隔療法がなぜ可能なのか、すぐには信じられない人も多いと思います。このことを理解するためには、バッタチャリア博士が三十年の歳月をかけて開発するにいたった経緯を知ることが手助けになります。博士の研究者としての飽くなき探究心と、

治療家としての慈愛に満ちた心が如実に顕《あら》われているエピソードを交えながら簡単に紹介しておきましょう。

バッタチャリア博士は「ラジエステシア」の研究者でした。ラジエステシアとは、「放射する（radiate）」と「感受する（esthesia）」から成る言葉で、日本語では「放射感受性」と訳されています。

わかりやすくいえば、

「すべてのものは振動しており、固有の周波数をもって微細なエネルギーを放射している。人はそれを感知して、指の筋肉や自律神経系に伝えることによって測定できる」

という考え方です。

ラジエステシアを研究する人たちは、ダウジング（水脈や鉱脈をみつける技術）のメカニズムについても、なぜそれが可能なのかを分析し、理論化しようとしました。テレセラピーにとってダウジングは、遠隔地にいる人を的確に診断し、適切な宝石を選択する手段としてとても便利なものです。

ダウジングの基本は、ＳＭＲテストと同じです。ＳＭＲテストが相手の指を使うのに対し、ダウジングは自分の指を使うのが違う点です。

やり方は、水晶、金属、木などの錘《おもり》を紐の先に結びつけ、適当な長さの位置（だいたい一〇センチ前後）で、親指と人差し指の先で紐《ひも》をはさむようにもちます。あらかじめ、得られる答えが「イエス」の場合には振り子が縦に振れるように、「ノー」の場合には横に振れるように、一、二回練習しておきます。

そして、知りたいことを「イエス」か「ノー」で答えられるようにして、自分の感性に問いかけます。得られた情報は指の神経に伝わり、指の筋肉を介して振り子の動きに反映されます。ダウジングを行なうときも、必要なことは知ることができるという確信をもち、先入観を排除することがポイントです。

バッタチャリア博士は、ラジエステシアの研究とダウジングの実践によって、テレセラピーの開発につながる重要な手がかりを発見します。それは、名前と形とのあいだには波動的な差がないこと、人間の波動はその人の写真や指紋、筆跡、血痕と同一のものであるということです。

写真がその所有者と同じ波動であるということは、写真を通して治療をするのも、本人を直接治療するのも、波動的には同じだということです。こうして博士は、テレセラピーの基本概念を頭のなかに組み立てていきました。

●――テレセラピーが確立するまでの道のり

これが基礎になって、バッタチャリア博士の研究は次なる発展へとつながっていきます。水晶のもつ神秘的な力の発見です。

それは真冬のある日、いたずら好きな子どもたちが、生後三カ月ほどの子猫を何度も氷水につけ、瀕死《ひんし》の状態にしてしまったことがきっかけです。子猫は肺炎を起こしており、なんらかの処置をしなければ数分のうちに死ぬことは明らかでした。

バッタチャリア博士はなんとか子猫を助けたいと思い、ヒマラヤ水晶を手にとって、子猫に向けて回転させてみたのです。最初のうち、子猫にはなんの反応もありませんでしたが、一二〇〇回転させたときに毛が立ちはじめ、二〇〇〇回転を過ぎると全身が生き生きとし、三〇〇〇回転を過ぎると息をして起きて歩こうとしたのです。

そしてついに、子猫は何度か倒れそうになりながらも歩きはじめ、治療台から床に飛び降りたのでした。博士はその後も、子猫に朝晩三〇〇〇回転ずつ水晶をまわしてやり、そのおかげで子猫は長く生きつづけたといいます。

　この体験が偶然ではないこと、また、子猫の回復を願う自分の念が作用したのではなく水晶の効果であることを立証するために、博士はほかの病気で死を目前にした子猫でも実験しています。モーターを取り付けた円盤に四個の水晶を嵌《は》め込んだものを毎分一四〇〇回、毎日十二時間、回転させました。結果、その子猫は昏睡《こんすい》から覚め、三日目には箱から逃げ出したそうです。

　この実験から、水晶の回転によって放出されるエネルギーが病気の治療に有効であることを確信したバッタチャリア博士は、人間にも同じ方法が通用するのではないかと思い、家族に試してみることにしました。

　ちょうどそのころ、娘の一人が百日咳にかかり、薬が効かず、容態は悪化するばかりで苦しんでいました。そこで博士は娘の写真をモーターの前に貼り、水晶を回転させてみたのです。すると、なんと二時間で完治したのです。

　診療にあたって、プリズムを用いて光線の変化を観察していた博士は、

「治療前には娘の写真は緑色だったのに、治療を始めると青色に変わり、本人の顔も青色になった」

という事実を発見しました。このことから博士は、水晶を回転させることによって水晶に内在する青色光線が放出され、それが写真に注がれ、同時に本人にも届くことを確信したのです。

さらに、宝石の効果を高めるためには、回転によるよりも、バイブレーターで振動させるほうがよいことも明らかにします。そして、さまざまな宝石を使って実験を重ね、テレセラピーとして体系化したのです。

現在は、ご子息のアミア・クマール・バッタチャリア博士に引き継がれ、ヨーロッパをはじめ世界各地の医師が使用し、成果をあげています。

◉──マントラには特別なエネルギーがこめられている

バッタチャリア博士の開発した宝石光線療法は、九種類の宝石以外にマントラが使われていることもユニークな点です。マントラとは、「南無阿弥陀仏」や「南無法蓮華経」のような真言のことで、力のある音を文字にして組み合わせたものです。「陀羅尼」ともいいます。

マントラは心を表わす「マン」と楽器を表わす「トラ」という言葉から構成されています。私がインドを訪れた折、「マントラは神につながる電話番号のようなものだ」と聞いたことがあります。

これらのことをあわせ考えると、マントラは心を力のある言葉に乗せて、身体を楽器のように響かせて唱えるもので、神に願いを伝える手段として使われてきたようです。マントラを正しく、心をこめて唱えることによって、大自然のパワーを得ようとしたのだと思います。

日本でも古来より言霊《ことだま》には霊力が宿っており、その力によって言葉どおりの事象がもたらされると信じられてきました。密教はその名前のとおり、秘密の教えです。その秘密には二つあるとされ、その一つが真言です。その効力があまりに大きいために、だれにでも教えるわけにいかず、師が認めた弟子にだけ教えてきたのです。このことからも、真言には特別な力があることがうかがえます。

インドには、数千にのぼる数のマントラがあるといわれており、それぞれ特別の意味合いがあるようです。バッタチャリア博士は、そのなかから病気の治療にもっとも効果的なものを選び、宝石光線療法に組み入れたのです。つまり、宝石とともに振動させることによって、宝石のエネルギーに加えてマントラの効力を治療に使ったのです。インドならではの発想で、とても興味深いものがあります。

ところで、文字、文章には固有のエネルギーがあることを、だれもが納得できるかたちで証明したのが、『水からの伝言』の著者、江本勝氏です。文字や文章のもつ意味合いが、水の結晶となって現わされたのです。画期的な業績といっていいでしょう。

水の入った器に「ありがとう」「感謝」と書いた紙を貼っておくと、水は見事な美しい結晶をつくり、逆にネガティブな言葉だとなんとも醜い結晶となるのです。

また、この本のなかに、サンスクリット語で書かれた「オームナマシバーヤ（シヴァ神を礼拝します）」というインドの有名なマントラを水にみせたときの写真が載っています。薄紫色に染まる美しい曼荼羅模様は、水があたかも意思をもっているかのようです。

私が行なった実験によると、マントラは、一五〇〇～五〇〇〇ヘルツの低周波で振動させると、そのエネルギーをよく引き出すことができます。バッタチャリア博士がもっとも効力のあるマントラとして選んだ「ムリトリアサンジヴァニ・マントラ」を水道水に五時間照射したところ、有害金属や細菌などの反応が大きく変化しました。

また、これを人の写真に照射すると、内分泌腺をはじめ、さまざまな機能が活性化されることも確認しています。

マントラのみを写真に照射した何人かの人に感想を聞いてみると、異口同音に、「心の深いところで落ち着きを感じた」という答えが返ってきました。この事実からも、ある種のマントラには病を治すエネルギーがこめられていることがわかります。

◉――振動とLEDで宝石本来のエネルギーが取り出せる

大自然の恵みである宝石のパワーを引き出すには、二つの方法があります。

一つは、すでにお話ししたバッタチャリア博士の開発された方法で、振動を宝石に与える方法です。私は、A・K・バッタチャリア博士の許可を得て、日本でつくられた器械を使用しています。

もう一つは、日本テレセラピー研究会独自の開発によるもので、発光ダイオード（LED）を宝石に照射する方法です。この二つを併用すると、相乗効果が得られ、治療効果がいちだんと高まります。

振動によって得られるエネルギーは三次元の振動波が中心であるのに対して、ＬＥＤによって得られるエネルギーはゼロ波動が中心です。ゼロ波動は、プラスとマイナスが打ち消しあって生じる四次元波動です。

四次元は波の世界であり、三次元は粒子の世界です。この両者がそろって、宝石本来のパワーが得られると考えられます。振動によって得られるエネルギー量を「縦×横」とすると、ＬＥＤによる照射のエネルギーを加えたものは「縦×横×高さ」になると私は考えています。

すこし難しい話になりましたが、要は振動とＬＥＤの光を宝石に照射すれば、宝石本来のエネルギーを取り出すことができ、よりたしかな治療効果が得られるということです。実際に、私の医院にある遠隔治療室から毎日二十四時間、二種類の治療器を使って全国二〇〇人以上の方へ宝石のエネルギーを届けています。

宝石光線療法の効果を高めるには、治療家とそれを受ける人とのコミュニケーションが大切です。ですから、月に一度は、手紙かファックス、メールなどで様子を知らせてもらうようにしています。それをもとに、その時点での状態に合わせて宝石の内容を検討し、新たに選ばれた宝石があれば、その意味を添えて返事を書きます。

宝石のもつ効能から、その時点での問題点が明らかになると、新たな気づきが生まれます。直接には一度もお会いしたことがない方も数多くいますが、喜びと感謝の手紙をたくさんいただいています。それは私にとってとてもうれしいものであり、大きな励みになっています。

●——写真の情報は時空を超えてダイナミックに変化

宝石による遠隔治療器として、振動タイプ、LED照射タイプの二つがそろったことは、インドの叡智と日本の科学技術の融合であり、これによって遠隔治療法がいちおうの完成をみたといっていいでしょう。

具体的には、LEDを宝石に照射する器械『コスミックレイ療《いやし》』、と三〇〇〇〜二万三〇〇〇ヘルツの周波数で宝石をアナログ式に振動させる器械『スーパーコスミックレイ』を使います。

『コスミックレイ療』では、治療に使う宝石をすべて器械のなかに入れ、スイッチを入れると、ＬＥＤが間歇《かんけつ》的に光の強弱を変えながら宝石に照射され、そのエネルギーが患者さんの写真にあたるようになっています。『スーパーコスミックレイ』では、症状に合わせて鉱物・宝石を選択します。

写真を使って遠隔治療ができるということをはじめて知る人は、次のような疑問が湧いてくるでしょう。

「人の身体は刻一刻と変化している。写真は撮ったときのものだから、そんな過去の情報の写真に照射して、なぜ効くのか」

ごもっともですが、ホログラフィの原理から考えると、人の髪の毛一本、血の一滴にも、全体の情報が含まれており、それらの情報が生体の変化とともに波動的共鳴によってホログラフィックな特性をもちながらダイナミックに変化します。

写真も同じです。患者さんから切り離されていても、生体と刻々と共鳴しながら、情報はダイナミックに変化するのです。つまり、写真の実体である患者さんはつねに、生体としての情報を写真に与えつづけているのです。

宝石光線療法はどんな症例にも適応がありますが、実例をあげておきましょう。

◉――宝石のエネルギーが届いた実例

一例目は、インフルエンザに麻疹を合併した女子中学生のケースです。

彼女は全身の発疹、高熱、それに頭痛と倦怠《けんたい》感でぐったりしていました。一見して重症感が漂い、今後の行方が心配される状態でした。

というのも、一般に麻疹にかぎらず、風疹や水疱瘡など流行性ウイルス性疾患の場合、年齢が高くなるにつれて重症化しやすいからです。そのうえ、インフルエンザを併発していたのです。

すぐさま点滴による補液を開始し、漢方を処方しました。と同時に、腫《は》れを緩和するパール、抗細菌作用としてキャッツアイ、抗麻疹ウイルスと抗インフルエンザウイルス作用をもつムーンストーン、それに皮膚の湿疹に対して、ブルーサファイヤの各光線を彼女の写真に照射しつづけました。

すると、翌日から、容態がみるみる改善していったのです。ふつうなら入院するところろですが、自宅で療養し、予想より早く完治したのです。

二例目は、四歳の男の子のケースです。

右の顎が腫れて痛くてものが噛めないというので診ると、おたふくかぜ（流行性耳下腺炎）でした。さっそく、原因であるムンプスウイルスに拮抗するムーンストーン、それに腫れを緩和するパールで治療を開始しました。二、三日で自覚症状が消え、ご両親から喜ばれました。安静にしていれば治る病気ですが、宝石光線の援助があると、軽くてすみます。

三例目は、十四歳の不登校で悩む女子中学生のケースです。

教師からの言葉の暴力がきっかけで、小学三年生と六年生のときに半年間の不登校になってしまいました。母親の話によると、自分の気持ちを封じ込めて周囲に合わせようとしてストレスを溜め込んでいたようです。

中学生になって、再び学校にいけなくなります。やる気がしない、なんにも興味がないと口走るようになり、引きこもり状態になったのです。

母親の依頼で、赤サンゴ（笑い、喜び、楽しみを促進し、憂鬱をはらす）、ラピスラズリー、トルコ石（自分をありのままに表現することをうながす）による宝石光線療法を開始すると、事態は徐々に好転していきました。

そして、一カ月後にはこのお子さんの気持ちが前向きになり、「宿題を出してほしい。勉強しなきゃいかんね」と話すようになったそうです。

二カ月後には外に出ることができ、自分で料理もつくり、部屋の鍵を閉めなくなりました。

三カ月後からは鼻歌が出るようになり、これまで母親に身体をさわられるのを嫌がっていたのに、それを嫌がらなくなったのです。そして、学校にもたまにいけるようになったと、母親が喜んで話してくれました。

このように、宝石光線療法は、患者さんがどこで何をしていても、副作用もなく、必要とするエネルギーを届けることができる画期的な療法といえます。

◉――チャクラは肉体、心、魂の架け橋

宝石が病気に効くことはおわかりいただけたと思いますが、宝石がどうして効くのか

不思議に思われたのではないでしょうか。

そのことを理解していただくには、チャクラについてお話ししておかなければなりません。宝石には、チャクラを活性化することによって心身のバランスを整える効果と、色彩による効果とがあります。

おそらく、チャクラという言葉をはじめて目にされる方も多いでしょう。チャクラの意味を理解すると、精神的問題点を考える場合や、病気の原因を探るときにとても役に立ちます。目にはみえませんが、私たちの身体にあって、肉体、心、魂を結びつける重要な働きをしているものですから、ぜひ理解していただきたいと思います。

ポイントをしぼって簡単に説明しましょう。

チャクラはサンスクリット語で、「光の輪」という意味です。精神的レベルが向上して、身体の中心に沿って存在する七つのチャクラ（エネルギーセンター）が活発に働きはじめると、オーラを発するようになります。それを、超感覚的知覚に目覚めた人は光の輪としてみることができることからきています。

「後光が差す」という言葉がありますが、これも頭頂のチャクラが活性化した様子を表わしたものです。

チャクラの働きには大きく分けて二つあります。

一つは情報の変換です。人間は、肉体、心、魂という異なる階層のエネルギー体からできていますが、それらが一つの身体としてうまく機能するためには、各階層の情報がスムーズに伝えられなければなりません。

魂からの情報が心に伝わり、心から肉体に入ると、経絡を介して内分泌腺や神経系に入り、組織や臓器に達するのですが、魂と心、心と肉体間のスムーズな情報伝達にチャクラが架け橋のような働きをしているのです。

おもなものは主チャクラとして七つあり、そのほかにそれをサポートする副チャクラが存在しています。七つのチャクラはそれぞれ特定の臓器と密接に関連しており、臓器に異常があると、それと関連するチャクラに問題があるということになります。

また、各チャクラの働きは心とも密接につながっており、どのチャクラの働きが低下しているかがわかれば、どのような心の問題があるかを知ることもできます。つまり、臓器の異常から関係しているチャクラと、心の問題を知ることができるということです。

たとえば、甲状腺に問題があるとしましょう。甲状腺は第五チャクラの支配領域にありますので、このチャクラに問題があるということになります。

このチャクラのもつ精神的意味は三つあります。

①自分をありのままに表現する

②人の考えや行動をありのままに受け入れる

③感情をコントロールする強い意思をもつ

というものです。

甲状腺に異常があるということは、これらの意味のうち、どれかに問題があるということになります。

つまり、自分のいいたいことを抑えて我慢することを続けてきたか、受け入れることができない人のことで悩んでいるか、自分の思ったことがやり遂げられず悔しい思いをしているか、などの問題があるということです。

その結果、**第五チャクラのエネルギーが低下したことが、甲状腺の異常をきたした原因になっていると考えられます。**

チャクラのもう一つの働きは、エネルギーの出入り口としての働きです。私たちは生きていくために食べ物からエネルギーを補給していますが、それだけではなく、空間に満ちている生命エネルギーを呼吸によって取り入れ、さらにチャクラからも取り込んでいるのです。

よく、仙人は霞《かすみ》を食べて生きているといいますが、チャクラの活性が高いレベルに達すると、呼吸とチャクラからのエネルギーだけで生きていけるようになるのです。実際、インドで三十日間断食をしたあとの高僧に会ったことがありますが、ふだんとあまり変わらない様子に驚いたものです。

●——七つのチャクラの活性を高める宝石

チャクラを周波数的にとらえたのは、ドイツ振動医学の基礎を築いたパウル・シュミット氏です。人体には生命エネルギーの出入り口がいくつかあり、そのなかで中枢的な役割を果たすものとして、七つの主チャクラをあげています。ヨーガやアーユルヴェーダでいわれているものとほぼ同じもので、共鳴する周波数がみつけられています。

第一チャクラは四五、第二チャクラは九〇、第三チャクラは五五、第四チャクラは八五、第五チャクラは七〇、第六チャクラは九五、第七チャクラは〇（ただし、これらに共鳴する周波数は二万ヘルツ以上で、一〇のn乗（n≧3）倍のもの）。

この七つの周波数と宝石の関係はどうなっているのだろうと、さっそく調べてみました。すると、興味深い事実がわかったのです。三〇種類の宝石すべてが第一チャクラと第七チャクラの周波数と共鳴したのです。

第一チャクラは大地の波動を、第七チャクラは宇宙すなわち天の波動を表わしていると考えられますから、宝石は天と地をつなぐ波動をもっているということになります。さらに、宝石は第一と第七チャクラ以外に、二つのチャクラの周波数と共鳴したのです。第一と第七は共通しており、あとの二つはそれぞれの宝石によって違いますが、それは色彩の違いによると考えらます。

私たちは、自然の恩恵を最大限に受け、自然とともに暮らすのがもっとも健康的に暮らすコツです。大地にしっかり根を下ろし、天とつながって自分らしく生きることこそ、私たちがめざす健康的な生き方であると思います。宝石にはそれを手助けするパワーが秘められているのです。

次に、七つのチャクラのおもな働きと、各チャクラの活性を高める代表的な宝石について話を進めていきましょう。

●第一チャクラ（赤サンゴ）

このチャクラは尾骶骨周辺にあって、生きていくための本能的な力を与えてくれます。自分の存在基盤ともなるもので、両親をはじめ家族、あるいは自分の生活基盤である仕事場の状況と密接に関係しています。かかわる臓器には、副腎、前立腺、骨、関節、脊椎および排泄器官である直腸、肛門、膀胱、尿道などがあります。

両親のどちらかとのあいだに問題を抱えていたり、夫婦間の絆《きずな》がうまくいかず緊張した家庭環境にあったり、職場で自分の存在を脅かされるような状態にあると、このチャクラの活性が低下し、かかわる臓器の働きが弱くなります。前向きに生きようとする力も湧いてこないでしょう。

自分の生い立ちや、環境などに強い劣等感を抱いているような場合も同じです。基盤が不安定になり、些細《ささい》なことでも大きく心が揺れ動き、何をやってもうまくいかないということになりかねません。このチャクラの働きをよくするには、両親をはじめとして自分の存在に大きくかかわっている人に「感謝」の気持ちをもつことです。

尿漏れ、痔、膀胱炎、便秘などには、両親、家庭、家族と自分の立場をふりかえってみ

なさいというメッセージが込められていると考えてみてはどうでしょう。なにか大切なことに気づくかもしれません。

●第二チャクラ（エメラルド）

このチャクラは下腹部にあり、お互いの気持ちを尊重し、円滑な人間関係を学び、発展させることにあります。大腸、虫垂、小腸、腎臓、子宮、卵巣などとかかわっています。

自分と相手は違っていて、まず自分が大切と考える人、相手が自分の思いどおりになってほしいのに、そのようにならないと苛立つ人、あるいは相手のことを恨みに思ったり、非難したりすると、このチャクラの働きを弱め、関連する臓器に支障をきたしやすくなります。

とくにいやな相手の場合は、自分の欠点を映し出してくれる鏡としてとらえてみてください。相手が悪いと思っていたことが、じつは自分の問題点であることに気づくかもしれません。すると、意外なほど早く人間関係のストレスから解放されます。

慢性腸炎、腎臓、子宮や卵巣の問題で悩んでいる人は、自分の思いどおりに周りをコン

トロールしようとしていませんか。このチャクラの働きをよくするには、相手の考えていることと、やっていることを認め、尊重することです。

●第三チャクラ（ムーンストーン）

このチャクラは鳩尾《みぞおち》にあり、自分の人生を思いどおりに切り開いていく自覚をうながすとともに、自分らしさを確立していくところです。胃、十二指腸、膵臓、肝臓、胆嚢、脾臓に関係しています。自分を信じて目標や夢に向かって進んでいるときは、このチャクラが活発に機能し、胃腸の働きも好調です。

逆に、**自信を喪失し、あれこれ迷ったり、考えすぎたり、あるいは必要以上に責任を感じて悩んだり、怒りを溜め込んだりすると、胃腸を壊し、肝臓を悪くします。**悩みや心配事で行き詰まったら、とりあえず一歩でも前に出ましょう。わずかでも前に進むことができれば、事態は好転します。大切なのは自分を信じることです。

●第四チャクラ（アメジスト、ローズクォーツ）

このチャクラは胸の中心部にあって、自他への愛や思いやりの心を深めることに関係しています。関連する臓器は、心臓、胸腺、乳腺です。**自己否定やだれかに対する嫌悪感は、心臓を悪くするだけでなく、胸腺に影響して免疫力を低下させます。**その意味で、「愛は免疫を高める」はまさに至言といえます。

●第五チャクラ（トルコ石、ラピスラズリー）

このチャクラはのどのあたりにあり、ありのままに自分を表現する、何事もありのままに受け入れられるようになる、あるいは自分の意思を貫くことができるようになる、そんな精神状態へと導くことに関係します。

関連する臓器は、甲状腺、副甲状腺、口腔、歯、声帯、咽頭、気管支、肺、皮膚、食道などです。これらの臓器が弱いと感じたら、自分の感情を無理に抑えていないか、人の考えを受け入れることに強い抵抗を感じていないか、自分がしたいと思ったらそれを抑えられないか、あるいは自分はしたくないことでも頼まれるとイエスといってしまって後悔する、といったことがないか考えてみましょう。

対処法は、なにかいいたいと感じたら、迷わずそのことだけいってみる、小さな目標を立て、最後までやり遂げることです。この体験の積み重ねが自信につながり、自分らしい個性を発揮できるようになるでしょう。

●第六チャクラ（水晶）

このチャクラは額にあります。目や耳から入る外部の情報を客観的に受け入れるだけでなく、五感を超えた世界を知覚する能力を養います。このチャクラの働きが活発になると、論理的に説明できないが、「わかる」といったいわゆる直観力がついてきます。

脳、神経系、脳下垂体、大脳辺縁系、基底核、目、耳、鼻、副鼻腔などにかかわっています。目は、客観的にみるのが本来の役目です。**自分の考えや感情にとらわれて偏った見方をしたり、自分の気持ちを満足させることに執着しすぎたりすると、目や耳、副鼻腔といったところに異変が起こりやすくなります。**

●第七チャクラ（ルビー）

このチャクラは頭頂部に位置し、自分を超えて生きていくことにかかわり、大自然とのつながりを深め、それと一体になれるように方向づけるところです。人は大自然から離れて生きることはできません。不調和になった心身が最終的に癒されるのは、大自然の力によります。自然に近づき、それと一体になることは、私たちに与えられた大きなテーマです。松果体と関係しています。

第一チャクラから第七チャクラまで連続的にみると、人の精神的成長を段階的に表わしていることがわかります。これを参考にすると、自分の身体の不調がどのような心の問題とかかわっているのか、自分で見分けることができます。

次に、宝石のもう一つの効能である色についての効果をみておきましょう。

バッタチャリア博士が特定した宝石光線療法に使う九種類の宝石について、私が実際に治療の現場で確認したものをあげておきます。自分で宝石を選ぶ場合の参考にもなるでしょう。

みなさんが宝石を購入されるさいには、こうした効果を考えて、もっとも自分にふさわしいものを選んでいただければと思います。

◉——九種類の代表的な宝石とその効能

●キャッツアイ——赤外線

キャッツアイは金緑石（クリソベリル）の変種の一つで、内部に一条の光の筋がみえます。動かしてみると、光は石を傾けた方向へ逃げていきます。これが気まぐれな猫の目に似ていることが、その名前の由来となっています。産地はブラジルとスリランカ。

キャッツアイには、**抗ガン作用、抗有害金属（水銀、鉛、アルミニウム、カドニウム）、抗寄生虫（肥大吸虫、旋毛虫そのほか）など、特異な効能があります。**ガンの治療には欠かせない宝石の一つです。精神面では、自分の考えにこだわりすぎて柔軟性に欠ける人におすすめです。

●ルビー——赤色光線

ルビーは、酸化アルミニウムの鉱物（コランダム）のなかでクロムが入って赤色になったものをいい、チタンや鉄のために青色になったものはサファイヤと呼ばれています。ですから、ルビーとサファイヤは色違いの兄弟。ダイヤモンドの次に硬い石としても有名です。おもな産地はミャンマー、タイ、スリランカ。

血液の循環をよくして身体を温め、細胞の再生をうながして組織に活力を与えます。どんな細胞も、血液の循環が悪くなったり、エネルギーが不足したりすると衰退し、生命活動が鈍くなります。冷えている、衰えている、疲れてエネルギーが不足しているなどの症状にはうってつけです。

意欲的にものごとに取り組む力を生み出す、勇敢、バイタリティ、リーダーシップ、アイデンティティの確立といった面に効果的です。エネルギー不足を感じている人、前向きに取り組みたいのに尻込みしてしまう人、自分の個性をもっと伸ばしたいと思っている人にもおすすめです。

●パール——橙色光線

パールは、貝がつくるものなので鉱物ではありませんが、比較的固くて美しいという点で宝石として扱われています。**炎症や打撲にともなう熱・腫れを穏やかに鎮静する作用**

があり、乳幼児からお年寄りまで、風邪、扁桃腺炎、気管支炎、麻疹など、急な発熱で倦怠感が強いときにはとても有効です。解熱剤のように急激に熱を下げるのではなく、穏やかに症状を和らげてくれます。精神面の過剰・過敏を緩和する働きもあります。

そわそわして落ち着きのない状態、しゃべりすぎ、多動症、発汗過多、不眠、イライラ、心配性など、頭を冷やして気を鎮めたいとき、あるいは深い悲しみやひどく踏みにじられたと感じたときなど、そのショックから立ち直る手助けになります。気持ちを平穏に保ち、思考を明晰にし、目的をはっきりさせてくれます。

●赤サンゴ——黄色光線

赤サンゴは、身体の屋台骨ともなる脊椎、関節、骨、軟骨と、それらをとりまく筋肉および腱を支えます。足腰などの骨格筋から心臓、消化管、目の筋肉など全身におよびます。**筋肉痛、関節痛、骨折、慢性肝炎、肝硬変、胆石の溶解、膵炎などに有効です。**

精神的には、生きていくうえでの恐れの感情を穏やかに包み込み癒やしてくれます。意識の変容をうながし、何年にもわたる抑圧、親にいわれた言葉や暴力によるトラウマなどからの解放を応援します。憂鬱を晴らし、気持ちを陽気にしてくれる効能もあります。

あるとき、六十八歳の男性が屋根の修理中に転落して入院したという連絡が家族からありました。肋骨七本を骨折し、血胸と気胸（肺が破れて胸腔内に血液と空気が溜まった状態）を起こしているとか。すぐさま宝石光線療法（赤サンゴ、ムーンストーン、イエローサファイヤ）を開始したところ、主治医もびっくりするほどの回復ぶりで、二週間で退院しました。

●エメラルド――緑色光線

エメラルドは、ベリリウムとアルミニウムを成分とする緑柱石の一つです。濃い緑のものをエメラルド、淡いブルーのものをアクワマリンといいます。エメラルドはクレオパトラがこよなく愛したことでも有名です。産地はコロンビア。

これは神経系全般と消化管全般に効能があります。たとえば、脳梗塞、自律神経失調、胃潰瘍などに有効です。緑色は七色のなかで中間に属する色で、バランスと調和が、この石のもつ特徴といえます。精神的には、困難な状況に陥った場合、事態を認めて受け入れる力を高めてくれます。集団行動において、人に対する思いやり、協調性を高めるといった働きもあります。

六十五歳の男性が右脳内出血で入院しました。手術後約一カ月からリハビリを開始し、家族の依頼により二カ月後からエメラルド、ルビー、ムーンストーン、イエローサファイヤで治療を始めました。

当初はまったく歩けませんでしたが、脅威の回復ぶりで、数カ月後には松葉杖で歩けるようにまでなりました。リハビリ仲間の人から、「なんであなたはそんなに早く回復するのか不思議や」といわれたそうです。

●ムーンストーン——青色光線

ムーンストーンは長石グループの一つで、和名は「月長石」といいます。月の光を連想させることから、その名前があります。古代インドでは月が宿る「聖なる石」として崇拝されたようです。産地はインド、スリランカ、メキシコ、ロシア。

効能のおもなものとしては、内分泌腺全般への作用、抗アレルギー、抗ウイルス、抗ストレスなどがあります。糖尿病、甲状腺機能亢進症、子宮・卵巣の異常、花粉症、化学物質過敏症、扁桃腺炎、インフルエンザ、麻疹、水痘症などに効果があります。

代謝を活発にし、抗ストレス作用もあることから、肥満の改善や痛風の治療にも。精神的には、自分への信頼を深め、知性を高め感情を平穏に保ちます。創造力、集中力、意思の力、根気、勇気などの精神力を強化する作用もあります。

逆に、恐れ、不安、心配、怒り、恨み、自信喪失、頑固、鬱的、罪悪感などの感情を和らげ、プラス思考へ導きます。不安神経症、パニック障害、抑うつ症などに使うと効果的です。受験期の子どもには青色光線と黄色光線の併用がおすすめです。ストレスを緩和し、落ち着いて考える力を高めてくれます。

●ダイヤモンド——藍色光線

ダイヤモンドは地球上でもっとも硬い鉱物として知られています。**腎臓、膀胱、副腎などの働きを活発にするともに、化学物質の排泄、解毒に有効です。**

ドイツ振動医学の研究者、ホェーフェルト・ケルナー博士によると、若返りには副腎皮質でつくられるデヒドロエピアンドロステロン（DHEA）がかかわっているようです。宝石的にそのホルモンの分泌を高め、若返りを計るためには、ダイヤモンド、赤サンゴ、ルビーの組み合わせが有効です。

バッタチャリア博士もその著書のなかで、

「ダイヤモンドは老化を防ぎ、若々しい力をとりもどさせる。とくに病気ではなく、老化からさまざまな障害が起きている人は、ダイヤモンドが放つ藍色光線を試す価値がある」

と述べています。

精神的には、悲しみ、はっきりとした対象への恐れの感情、抑うつなどを和らげます。藍色光線にはスピリチュアルな世界への旅立ちを後押しする力があります。

●ブルーサファイヤ――紫色光線

ブルーサファイヤは、ルビーと同じ鉱物（コランダム）で、チタンや鉄によって青色をしています。

おもな効能は、末梢神経全般と皮膚（髪、爪）およびヘルペスウイルス（HV）に対する作用です。三叉神経痛、顔面神経痛、視力障害、坐骨神経痛、肋間神経痛、膝、足首の痛みなどに有効です。HVのなかでも、とくにタイプⅡ、タイプⅢ、サイトメガロウイルスに有効です。

髪の毛や爪は皮膚の角質が変化したもので、皮膚と同じように紫色光線からエネルギーを吸収します。しみ、そばかす、日焼け、アレルギー、湿疹、魚の目などのトラブルにはブルーサファイヤを使うとよいでしょう。精神的には、ネガティブなものを燃やし新たな成長をうながします。

紫色光線には意識をより高い段階へと押し上げる力があり、病気などに対する恐怖心、孤独感、抑うつ状態を緩和し、心の安らぎをもたらしてくれます。

●オニキス――紫外線

オニキス（またはサードオニキス）は、水晶と同じ石英の一種です。石英のなかで透明なものが水晶、半透明なものがアゲート（メノウ）、不透明なものはジャスパーと区別されています。メノウのなかでも色によっていろいろ名前があり、縞模様のあるものなどがオニキスと呼ばれています。

化学物質（殺虫剤、除草剤、さまざまな化学物質、食品添加物などに含まれる有害なもの）の排泄促進に効果があります。 したがって、化学物質過敏症に対しては、第一選択となる石です。口内炎や各種痛みの原因となるＨＶタイプＩについても有効で、寄生虫に対しては、キャッツアイと併用して使うと効果的です。精神的には、なにか特定のことに対するこだわり（病気など）の感情を緩和してくれます。

以上が、テレセラピーで使う代表的な九種類の宝石です。このほかアズライト、水晶、アメジスト、ローズクォーツ、トルコ石、ラピズラズリーなど、多くの石を症状にあわせて併用しています。

鉱物図鑑をみると三〇〇種類近くの鉱物が載っています。さまざまな種類があるということは、それだけ違った効能の石があるわけで、それらを生かせばもっときめ細かく、効果的な治療ができる可能性があります。

その意味でも、宝石光線療法には、まだまだ大きな可能性が残されています。大自然の恩恵である鉱物を治療に生かすことは、私たちに与えられた課題でもあると思います。

エピローグ

自分らしい生き方へのヒント

私が、さまざまな療法を診療に取り入れようとしていたころ、なにもないところから物を取り出す魔法使いのような聖者がインドにいると話題になっていました。

物質化の真偽はともかく、私は、

「インドには人知を超えた不思議な力をもった人がいる。そこにはきっと、医療に応用できる何かがあるはずだ」

と興味をそそられたのでした。

そのことがきっかけでインドにいってみたいと漠然と思うようになり、ほどなくインドにいくチャンスがやってきたのです。八年前のことで、それ以来、何度かインド、ネパール、チベット、最近では南フランスなどにいく機会に恵まれ、少なからぬ影響を受けながら今日にいたっています。

この間の貴重な体験によって私の考え方は大きく変わり、時折、瞑想するようになって自分らしい生き方が少しずつできるようになったと思います。それに並行するかのように治療効果も上がり、患者さんにも喜ばれています。体験のなかからとくに印象深いものを紹介しましょう。

瞑想とは己を知ること

瞑想は
生のなかで、もっとも偉大な芸術の一つです
おそらく最高に偉大なものでしょう
それは、他の誰かから学べるものではありません
それが、瞑想の美しさです
瞑想には、どんな技法もありません
それゆえ瞑想には権威者などないのです
…………

（J・クリシュナムルティ）

瞑想というと難しいことのように感じるかもしれませんが、決してそうではありません。気楽にやってみてください。

最初は比較的静かなところで、独りになってゆったりと呼吸しながら考えることをやめてみる、ただそれだけでよいのです。外に向いていた意識を内に向けて、呼吸に注目してみるとでもいいましょうか。

ああしてこうしてと、たえず考えをめぐらせていると、エネルギーを浪費するばかりで、大切な感じる力も弱くなってしまいます。感じる力が弱くなると、いいアイデアも浮かばず、仕事にも行き詰まってしまいます。

そんなとき、頭に浮かぶさまざまな思いを呼吸とともに吐き出していると、しだいに頭がすっきりして、心が澄んできます。すると、感じる力が高まってきます。

感じる力が高まると、さまざまな重圧に押しつぶされそうになったり、過去のことを気にして混乱していたり、人間関係で悩んでいたりする自分がよく観えてきます。そんな自分が滑稽に観えたりすることもあるでしょう。

「もっと気楽にやればいいのに」

「心配するな、なんとかなる！」

といった声なき声が聞こえてくるかもしれません。

すこし離れて第三者の立場で自分を眺めてみると、何が問題なのかがわかりやすくなるものです。

あるいは、自分の方向がわからず、堂々めぐりで出口が見出せそうにないとき、自分のほんとうの目標・夢は何か、あらためて考えてみるのも一つの方法です。

自分の目標や夢が漠然として、はっきりしていないことに気づくはずです。どんな夢も叶うとしたらどんな人間になりたいのか、考えてみましょう。そして、それが実現して、心から喜んでいる姿を想像してみるのです。

その喜んでいる自分からみて、現実の自分はいま、何をしたらいいのだろう、と思ったとき、その答えが明確に浮かんできます。

静かに自分をふりかえる余裕をもつことが、自分の進むべき道、自分らしさ、どう行動すればいいかといったことを自覚させてくれます。

◉——すべての生命を傷つけない

世界のおもな宗教の原点はインドにあり、といっても過言ではありません。インドでは、宗教と政治、経済のみならず生活のすべてが渾然《こんぜん》一体となっています。

人口の八三パーセントを占めるヒンドゥ教のほか、イスラーム教、スイク教、ジャイナ教、キリスト教、仏教などがあります。そのなかのジャイナ教に、インド人である知人を通じてふれる機会がありました。

ジャイナ教は、仏教の開祖である釈迦とほぼ同じ時代、同じ地域で活躍していた思想家、マハーヴィーラの教えをもとに広まったものです。

インド国内から出ることを禁じたために、仏教のように世界に広まることはありませんでしたが、その教えは二千五百年を経たいまなお、二五〇万人の信者に引き継がれています。

ジャイナ教は「アヒンサー（不殺生）」を最高の美徳としています。僧ともなると、厳格に菜食主義を守り、決して肉や魚は食べません。

それどころか、小さな虫を誤って飲み込まないようにマスクをつけたり、虫を殺さずに払いのけるための払子《ほっす》と呼ばれる布でできた箒《ほうき》を携帯していたりなど、徹底して不殺生を心がけています。

煩悩にとらわれないように、お金をもつことのみならず、異性にふれることも禁止されています。人間の本能的な欲望を戒律で禁止し、ひたすら悟りを開くことをめざしています。

一般の信者にはそこまでの苦行を強いることはありませんが、彼らもまた菜食主義を守っています。鋤《すき》や鍬《くわ》で地中の虫を殺す危険のある農業を避けて、商工業に従事して穏やかな暮らしを営んでいます。

いまから七年ほど前に、インドの北西にあるグジャラート州パリタナという町を訪れたことがあります。パリタナには〝勝利の地〟を意味するシャトルンジャヤ山があり、そこはジャイナ教の五大聖地の一つになっています。

標高五九一メートルの山頂まで続く三九五〇段の石段を登ると、豪華な装飾が施された石造建築が立ち並び、まさに大理石の都市とも呼ばれる芸術的な寺院群に圧倒されます。

ジャイナ教の聖地が高い山の山頂にあるのは、外部からの略奪、攻撃を防ぐためで、寺院群はトゥークと呼ばれる高い壁で囲まれ要塞化しています。そのために、山頂の寺院には、きわめて精巧に造られた石の芸術品がそのまま残されています。

寺院への登り口に程近いジャイナ教の宿坊に泊った夜のこと。部屋には大小さまざまな虫が飛んでおり、布団のなかにまで入ってきました。ふだんなら、邪険《じゃけん》に追い払うところですが、このときはジャイナ教の信条を察して、そっと払いのけるだけにしていたのです。

すると、最初は少々煩わしさを感じたものの、しだいに虫たちに親しみすら覚えるようになったのですから不思議です。すべての生物を傷つけないというのは、物理的な外傷を与えることはもちろん、言葉による暴力も含まれると考えていいでしょう。

物理的な外傷は一時的なものですが、言葉による傷は後々まで残ります。人は言葉によって傷つき、言葉によって救われることはよくあります。

言葉は、自分のみならず周囲をも大きく変えてしまいます。世界各地で紛争が絶え間なく続き、国内でもおぞましい事件が頻発している今日、すべての生命を傷つけないという信条は、万物の霊長たる人間が思い起こさなければならない原点ではないでしょうか。

人のいうことを聞くな

インドでは占星術が有名ですが、運勢の好転や病気の回復などに、よく宝石が使われます。

私もジャイナ教の高僧《グル》に手相をみてもらったさい、家族や自分のことについての指摘が驚くほど正確であるだけでなく、これからの自分の人生に大きな影響を与える一言に出会ったのです。

それは、「人のいうことを聞くな」という言葉です。もちろん、これは「わがままになれ」という意味ではありません。

「人の意見に左右されることなく、自分の思ったことをどんどん推し進めていくこと。必要なことはすべて、自分の内から引き出しなさい」

ということです。

人は、自分が必要とするときに、必要な師に出会うといわれますが、この言葉は私を大きく変えるきっかけになりました。

私は大学での研修のあいだ、

「経験の浅いきみたちの考えなど大したものではない。過去の文献を調べて、権威ある医学書にもとづいて治療方針を立てるように」

と教えられ、自分でもそのように思っていました。

これ自体は悪いことではないのですが、そのためにたえず人の意見に左右され、知識をふやすことに奔走《ほんそう》し、自分の意見がいえず、常識的な判断しかできない人間になっていたのです。

それ以来、表面的な知識ではなく、もっと深遠な知恵をみずからの内から汲《く》み出す努力をすることがどんなことにおいても大切だと思い知り、大きな変革が心に起きたのです。

●――人はどこにいても幸せになれる

ヒマラヤ山脈の麓にあるパプル（標高二四〇〇メートル）は、エヴェレストやヒマラヤの山々をめざす登山家たちの宿場町です。そこに一日だけ滞在したことがあります。翌日、パプルから三八〇〇メートルの地にあるタンボチェにヘリコプターで降り立ち、雄大なヒマラヤを眼前に観るのが目的で、高山病対策として身体を慣らす必要があったためです。

パプルの町から車の通うところまでは、歩いて一週間かかります。まさに車のない社会です。こじんまりとしたホテルの庭でくつろいでいると、なんともいえない安堵感と清々しさに包まれ、まるで身体のなかの不純物がどんどん洗い流されていくような感覚に包まれたのです。

まさに、言葉のいらない、自然の癒しに満ちた空間で、

「じっとしているだけで本来の元気な姿にもどれる」

と心底から思えたのです。

逆にそれは、私たちがいかに汚染された世界に住んでいるかということを、思い起こさせてくれましたが……。

辺りを散歩すると、放し飼いにされた鶏がいて、犬と猫が仲よく寝そべっています。日本人に似た風貌の村人たちはとても人懐っこくて、「ナマステ」と挨拶すると、なんともいえない懐かしい、優しい笑顔が返ってきます。

この自然に満ちた空間と笑顔こそ、私たちが物質的充足の代償として失いつつある大切なものだ、と痛感させられたのでした。

翌日、タンボチェから雄大なヒマラヤのパノラマを堪能したあと、セスナ機でカトマンドゥに向かいました。

その途中、眼下を見下ろすと、山全体が一面に切り開かれた耕地が美しい縞模様を成し、まるで蜂の巣のようでした。

「ここには何百年にわたる、山岳民族のたくましい生活の歴史が刻まれている。見事なものだ」

と感心しながらも、いっぽうで、

「なぜこんな不便で、きびしい条件の山中に住むんだろう、もっと楽な暮らし方があるだろうに」

と不思議に思っていました。

すると、天啓のような感覚が脳裏を過《よ》ぎったのです。

「人はどんなところでも幸せに暮らせる。自分の足元をみつめ、与えられた仕事を淡々とこなせば、それでいいのだ」

それは、自分の生き方に対する、次のようなメッセージでもあるようでした。

「わざわざ遠くに出かけなくても、必要なものはすべて自分の周りにある」

ジグソーパズルは、微妙に違う一つひとつのピースを組み合わせて一つの絵を完成させるものです。それぞれのピースは、それだけではなんの意味も価値もないようにみえます。

ところが、全体の構成からみると、一つとして欠けてよいものはなく、それぞれが平等で重要な位置を占めています。

しかも、すべてのピースはほかのピースで代用することはできません。それぞれが独特の役割をもって、全体の一部になっています。

私たち人間も、ある意味ではジグソーパズルのピースと似てないでしょうか。それぞれがほかとは違った個性をもちながら、お互いに連携し合って社会を形成している点においても、また、他人と優劣を比較することになんの意味もないという点においても。そして、自分だけの居場所がちゃんとあるということも。

純なる心をたもて

インドのボンベイにあるガンジー記念館を訪れたときのことです。ガンジーの銅像の前にたたずみ、静かにガンジーの顔を眺めていました。

「インド建国の父」とも称されるマハートマ(大きな魂という意味)・ガンジーは、ジャイナ教の勢力の強いグジャラート州で生まれ、不殺生、非暴力の教理に大きな影響を受けます。

それはのちに、非暴力を政治的戦術として独立運動を展開し、イギリスから独立を勝ち取るという大きな成果となって実を結んだのですが、

「ガンジーの大きなパワーの秘密はなんだろう。人間ガンジー以上の何かがあるにちがいない。小さく、やせこけた身体に、どんなパワーがあったのだろうか。その秘密が知りたい」

などと思いを巡らせながら、何気なく、次のように問いかけてみたのです。

「今日、日本に帰ります。なにかメッセージをいただけませんか」

すると、その思いがガンジーに届いたのでしょうか、

「純なる心をたもて！」

という声なき声が瞬間的に返ってきたのです。

私は一瞬、ガンジーの心情の一端を垣間見たような気がして驚くとともに、その心こそ、インド民衆の心情を一つにした大きな力の源泉であったにちがいない、と感じたのでした。

心の純度というのは、高まれば高まるほど、人をパワフルにするのではないでしょうか。鉄は水に漬けると錆びますが、鉄の純度を上げると錆びなくなります。しかし、王水（濃塩酸と濃硝酸の混合物）に漬けるとやはり錆びます。

ところが、究極まで鉄の純度を上げると、王水にも錆びなくなるそうです。

同じことが人の心にもいえるのではないかと思うのです。つまり、心も純粋になればなるほど、外的な影響を受けなくなるのではないか。

人は純粋なる心をもって生まれてくるのですが、成長するにつれ、さまざまな経験のなかで心が曇ってしまいます。それを乗り越えて、再び純粋な心をたもてたとき、大きな力となるはずです。

◉――究極の治療とは……

ネパールは、世界で唯一、ヒンズー教を国教とする王国です。美しいヒマラヤが北に聳《そび》え、その美しさに魅了された登山家が集まる国としても知られています。中国によるチベット支配以来、多くのチベット仏教を信仰する人びとが移り住むようになり、りっぱな寺院も建立《こんりゅう》され、チベット仏教がにぎわいをみせています。

二〇〇四年九月、首都カトマンドゥで、幸運にもチベット仏教の最高指導者の一人、チョキ・ニマ・リンポチェ氏に会うことができました。ふだんはヨーロッパを中心に活動されていることが多く、なかなか会うことができないのです。

氏はとても気さくで、その物腰の柔らかさと言葉の端々から滲みでる知性と優しさは、「できた人間とはこのような人をいうのだろう」と同行しただれをも感歎させるに十分なものがありました。人の成長の度合いは、優しさの程度に現われるのでしょうか、そんな気がしました。

いろいろお話をうかがったなかで印象深く残っているのは、「ヒーリングのためのマントラ（真言）をいただけないでしょうか」とたずねたときのことです。

リンポチェ氏は、次のように話してくれました。

「ヒーリングはマントラでするものではない。いちばん大切なのは、相手のことを心の底から思いやる気持ちです。それがあってはじめて、知識や技術が生きてくるし、叡智も湧いてくる。そして最後にマントラがあるのです」

いわれてみればなるほどと思うのですが、えてして知識と技術に頼り、このことを忘れがちです。知識や技術が大切であることはいうまでもありませんが、それにはおのずと限界があります。

真剣に相手のことを考えていると、知識を超えて、何が問題で、どうすればよいか、本

質的なことがわかる瞬間があります。それを「叡智《えいち》」と呼んでもいいのかもしれません。

叡智は、何かをやって身につければ得られるというものではなく、深い思いやりの気持ちがあれば自然に引き出されてくるものだということでしょう。それに、深い思いやりの気持ちには、相手の自然治癒力を引き出す力があります。

人は、心の内奥で自分の存在を認められたい、心の痛みをわかってほしい、愛されたいと思っているもので、それが満たされると心から満足し、恐れや不安の感情が消えます。

恐れ、不安、不満、怒りといった感情はエネルギーの流れを停滞させます。それが解消されると、肉体、心、魂を流れるエネルギーのバランスがよくなります。その結果、おのずと生命力が高まって、自然治癒力も強力に発揮されるのです。

マントラを敬虔《けいけん》な気持ちで唱えると、大自然のパワーを得ることができます。ただ、マントラを知らなければ大自然のパワーが得られないかというと、決してそうではありません。

私たちは、自分の力だけで生きているのではなく、自分をとりまくさまざまな人たち、それに空気や水や海山の幸といった天地の恵みによって生かされています。その生かされているという「感謝の気持ち」と、それをもたらしている「大いなる存在への敬虔な祈り」、それこそが強力なマントラに匹敵《ひってき》するものだと思います。

究極の治療とは、つねに学ぶ姿勢をもち、感謝の気持ちと深い思いやりの心をもって、大いなる存在への敬いの心を忘れず、対処することではないでしょうか。

おわりに

本書では、意識と筋肉反射の使い方、健康の盲点、化学物質への対処の方法、精神的支柱となる心のあり方、宝石のもつパワーのすばらしさ、自分らしい生き方へのヒントについてお話ししてきました。

健康であるためには、肉体、心、魂のそれぞれが健全で、バランスよく統一されていなければなりません。そのなかで、心のあり方こそがもっとも大きな影響を与える要因です。

心を平穏に保ち、自分らしくあることを心がけ、自分の身体が発する声に耳を傾け、健康に対する知識をよく知り、寿命まで元気でありたいものです。

著者

参考文献

『こころと脳の革命』松澤大樹著（徳間書店）
『牛乳には危険がいっぱい？』フランク・オスキー著／弓場隆訳（東洋経済新報社）
『口の中に潜む恐怖』ダニー・スタインバーグ著／山田純訳（マキノ出版）
『ガンと電磁波』荻野晃也著（技術と人間）
『危ない電磁波から身を守る本』植田武智著（コモンズ）
『電磁波汚染と健康』荻野晃也、出村守、山手智夫監修／ザミール・P・シャリタ著／加藤やすこ訳（緑風出版）
『宝石光線療法の奇蹟』ベノイトシュ・バッタチャリヤ著／林陽訳（中央アート出版社）
『「水」の生命力』前田芳聰著（評言社）
『図説バイ・ディジタルO-リングテストの実習』大村恵昭著（医道の日本社）
『パワーか、フォースか』デヴィッド・R・ホーキンズ著／エハン・デラヴィ、愛知ソニア訳（三五館）
『瞑想』J・クリシュナムルティ著／中川吉晴訳（星雲社）
『パワーストーン百科全書』八川シズエ著（中央アート出版社）
『水からの伝言 vol2』江本勝著（波動教育社）
『マクロビオティック入門』久司道夫著（かんき出版）

【著者紹介】

堀田忠弘（ほった　ただひろ）

◉—— 1946年、島根県生まれ。医学博士。京都府立医科大学卒業、同大学旧第一内科にて免疫学を研究。1990年、堀田医院を京都市内に開院。

◉—— 20年間携わってきた西洋医学だけの治療に限界を感じ、約15年前より東洋医学をはじめ、さまざまな療法を研究し、人を肉体、心、魂をもったエネルギー体として統合的に捉える治療に取り組み、実績をあげている。また、人の意識について研究するかたわら、人間的成長および潜在能力に興味をもち、これまで何度となくインド、ネパール、チベットに出かけ、人間本来の力を高める修行の経験をもつ。

◉—— 2005年7月、名古屋「愛･地球博」にて、『第9回意識と波動オープンセミナー』を開催し、そのときの講演が多くの人に感銘を与えた。

◉——日本内科学会認定医、日本東洋医学会専門医、日本テレセラピー研究会会長、日本バイ･デジタル・オーリングテスト医学会、バイオレゾナンス医学会、国際色彩診断治療研究会、意識波動医学研究会などに所属。

身体《からだ》はなんでも知《し》っている　〈検印廃止〉

2007年 4月16日　第1刷発行
2017年 3月 1日　第4刷発行

著　者——堀田忠弘©
発行者——齊藤　龍男
発行所——株式会社かんき出版

東京都千代田区麴町4-1-4 西脇ビル　〒102-0083
電話　営業部：03(3262)8011㈹
　　　編集部：03(3262)8012㈹
FAX　03(3234)4421　振替　00100-2-62304
http://www.kanki-pub.co.jp/

印刷所——ベクトル印刷株式会社

乱丁・落丁本は小社にてお取り替えいたします。

ISBN978-4-7612-6426-0　C0030